中國美術全集

漆器家具一

全國百佳圖書出版單位

時代出版傳媒股份有限公司

黃山書社

☆ **國家出版基金項目**

圖書在版編目（CIP）數據

中國美術全集·漆器家具 / 金維諾總主編，陳振裕、蔣迎春、胡德生卷主編.—合肥：黃山書社，2010.6
ISBN 978-7-5461-1365-4

I.①中… II.①金… ②陳… ③蔣… ④胡… III.①美術—作品綜合集—中國—古代②漆器（考古）—家具—中國—古代—圖集 IV.①J121②K876.7

中國版本圖書館CIP數據核字（2010）第112001號

中國美術全集·漆器家具

總 主 編：金維諾	卷 主 編：陳振裕　蔣迎春　胡德生	責任印製：李曉明
責任編輯：宋啓發	封面設計：蠹魚閣	責任校對：李　婷

出版發行：時代出版傳媒股份有限公司(http://www.press-mart.com)
　　　　　黃山書社(http://www.hsbook.cn)
　　　　　（合肥市翡翠路1118號出版傳媒廣場7層　郵編：230071　電話：3533762）
經　　銷：新華書店
印　　刷：北京雅昌彩色印刷有限公司

開本：889×1194　1/16　　印張：38.375　　字數：143千字　　圖片：1011幅
版次：2010年12月第1版　　印次：2010年12月第1次印刷
書　號：ISBN 978-7-5461-1365-4　　　　　　定價：1200圓（全二冊）

《中國美術全集》出版編輯委員會

凡　例

一、編　排

1.本書所選作品範圍爲中國人創作的、反映中國文化的美術品，也收録了少量外國人創作的，在中外文化交流史上具有代表性的美術品，如唐代外來金銀器、清代傳教士郎世寧的繪畫作品等。

2.根據美術品的表現形式和質地，共分爲二十餘類，合爲卷軸畫、殿堂壁畫、墓室壁畫、石窟寺壁畫、畫像石畫像磚、年畫、岩畫版畫、竹木骨牙角雕琺瑯器、石窟寺雕塑、宗教雕塑、墓葬及其他雕塑、書法、篆刻、青銅器、陶瓷器、漆器家具、玉器、金銀器玻璃器、紡織品、建築等二十卷，五十册。另有總目録一册。

3.各卷前均有綜述性的序言，使讀者對相應類别美術品的起源、發展、鼎盛和衰落過程有一個較爲全面、宏觀的瞭解。

4.作品按時代先後排列。卷軸畫、書法和篆刻卷中的署名作品，按作者生年先後排列，佚名的一律置于同時期署名作品之後。摹本所放位置隨原作時間。

5.一些作品可以歸屬不同的分類，需要根據其特點、規模等情況有所取捨和側重，一般不重複收録。如雕塑卷中不收録玉器、金銀器、瓷器。當然，青銅器、陶器中有少數作品，歷來被視爲古代雕塑中的精品（如青銅器中的象尊、陶器中的人形罐等），則酌予兼收。

6.爲便于讀者瞭解大型美術品的全貌，墓室壁畫、紡織品等類别中部分作品增加了反映全貌或局部的示意圖。

二、時間問題

7.所選美術品的時間跨度爲新石器時代至公元1911年清王朝滅亡（建築類適當下延）。

8.遼、北宋、西夏、金、南宋等幾個政權的存在時間有相互重叠的情況，排列順序依各政權建國時間的先後。

9.新疆、西藏、雲南等邊疆地區的美術品，不能確知所屬王朝的（如新疆早期石窟寺），以公元紀年表示，可以確知其所屬王朝（如麴氏高昌、回鶻高昌、南詔國、大理國、高句麗、渤海國等）的，則將其列入相應的時間段中。

10.對于存在時間很短的過渡性政權，如新莽、南明、太平天國等，其間產生的作品亦列入相應的時間段中，政權名作爲作品時間注明。

11.某些政權（如先周、蒙古汗國、後金等）建國前的本民族作品，則按時間先後置于所立國作品序列中，如蒙古汗國的美術品放在元朝。

三、圖版説明

12.文字采用規範的繁體字。

13.對所選美術作品一般祇作客觀性的介紹，不作主觀性較强的評述。

14.所介紹内容包括所屬年代、外觀尺寸、形制特徵、内容簡介、現藏地等項，出土的作品儘量注明出土地點。由于資料缺乏或難以考索，部分作品的上述各項無法全部注明，則暫付闕如，以待知者。

四、目録及附録

15.爲了方便讀者查閱，目録與索引合并排印，在每一行中依次提供頁碼、作品名稱、所屬時間、出土發現地/作者、現藏地等信息。

16.爲體現美術作品發展的時空概念，每卷附有時代年表，個別卷附有分布圖，如石窟寺分布圖、墓室壁畫分布圖等。

五、其　他

17.古代地名一般附注對應的當代地名。當代地名的録入，以中華人民共和國國務院批準的2008年底全國縣級以上行政區劃爲依據。

18.古代作者生卒年、籍貫、履歷等情況，或有不同的説法，本書擇善而從，不作考辨。

中國美術全集總目

中國古代漆器概論

　　漆器與瓷器一樣，同爲中華先民的獨特創造，是中華民族爲人類所做出的又一杰出貢獻。中國古代漆器工藝歷史悠久，源遠流長，且從未間斷，至今仍閃爍着奪目的人文光彩。

　　中國古代漆器，采用天然漆爲原料製作，不僅有較强的耐酸性能和抗腐蝕性，使器皿更加堅固耐用，而且經過推光、打磨後，漆面又有誘人光彩，因而實用性與裝飾性兼備。

　　中國古代漆器工藝至遲發明于7000年前的新石器時代，其後逐漸豐富并完善起來。據現存實物資料，可粗略劃分爲幾大發展階段。

一、新石器時代漆器

　　新石器時代，是中國漆器的發生時期。

　　1. 中國漆器的起源

　　在長期生產、生活過程中，中華祖先對身邊廣泛生長的漆樹逐漸熟悉，在認識和瞭解了漆的特性後，進而製造漆和使用了漆——最初可能將漆用作粘合劑，後來用漆加固或髹飾器物。這應是中國漆器發明的大體進程。

　　《韓非子·十過》等中國古代文獻將漆器的發明與舜、禹等相聯繫，實則考古發現的實物要較之早得多。目前已知時代最早的漆製品，是距今約六七千年前的河姆渡文化朱漆碗、纏藤篾朱漆筒及部分陶胎漆器。時代與之相當或略晚的江蘇常州圩墩遺址出土的馬家浜文化漆喇叭形器，上端黑色，下端作暗紅色。它們均采用色漆髹飾，已非使用本色（黑）漆髹飾，當是漆器發展到一定階段的產物。這説明中國漆器發明的歷史還應向前追溯，更早的漆器實物出土是完全可能的。

　　2. 考古發現

　　主要以竹、木爲胎骨的新石器時代漆器實物，本身難于保存，再歷經數千載風雨兵燹與歲月滄桑，存世者寥寥。

　　20世紀50年代以來，人們相繼在浙江、江蘇、山西、湖北等地發現一批新石器時代漆器遺存，其中新石器時代中期遺物見于浙江餘姚河姆渡和江蘇常州圩墩遺址，新石器時代晚期遺物見于湖北江陵陰湘城、浙江餘杭瑶山及反山、江蘇吳江梅堰鎮袁家埭及團結村、山西襄汾陶寺等遺址和墓地，涉及長江流域的河姆渡文化、馬家浜文化、良渚文化、大溪文化、屈家嶺文化及黃河流域的陶寺文化等。除個別陶胎外，皆木胎漆器，但其木質胎骨大都朽毀，僅餘耐腐蝕性較强的漆皮。河姆渡、陰湘城等處發現的漆器木胎有所保存，與當地氣候潮濕、地下水位較高等特殊地理條件有關。

3. 器類

新石器時代中期漆器僅見碗、筒等盛器和飲食器，以及用途不明的喇叭形器。

新石器時代晚期，漆器在日常生活中應用的領域逐步擴大。新出現杯、壺、盤、豆等飲食器具，以及簪、矢杆等生活用具和兵器附件。陶寺墓地出土的漆豆數量多，僅粗略區分即包括四種類型。這時還出現了漆製家具、樂器、武器及裝飾件等。陶寺墓地出土的几、匣、案、俎等成組家具和炊厨用具，均較低矮，適合當時席地起居的需要；還出土有樂器鼉鼓及用途不明、非實用的"倉形器"等。它們均出自大型及部分中型墓葬中，也是墓主人身份地位尊崇、財富豐厚的象徵，具有部分禮器的功能。

4. 工藝

新石器時代漆器，一般僅具製胎骨和直接在胎骨上髹漆兩道工序，晚期雖增加了鑲嵌工序，但工藝仍很原始。木胎漆器的胎壁較厚，多以石器斫、鑿、剜製而成；俎、案等則用板材斫製構件再以榫卯接合製成。部分木胎還在成型後進行刮削、打磨，使器表光潔規整。陶胎漆器的胎骨即當時流行的陶器，吴江梅堰袁家埭遺址漆尊等器表髹飾彩繪紋樣，和中原地區流行的彩陶器表的彩紋的功能基本相同，主要起裝飾作用。

新石器時代中期漆器髹飾已不僅僅使用呈黑色的本色天然漆，還用紅色顏料調配的朱漆，但漆層均較薄。新石器時代晚期大溪文化的江陵陰湘城遺址出土漆簪，通體髹紅漆，上再用粗細兩種黑漆直綫和曲綫勾勒出葉脉等形狀的圖案，裝飾已較複雜。陶寺墓地和瑶山墓地中都發現有用大量漆器等隨葬的現象。器表大多彩繪，陶寺墓地漆豆等還在紅色漆地上用黄、白、藍、黑、綠等色描繪條帶紋、幾何形紋、雲紋、回紋等，描飾較爲講究。良渚文化漆器工藝還與其高度發達的玉石工藝相結合，在漆器器表嵌玉裝飾，如瑶山墓地嵌玉高柄杯的外壁上下各嵌一周橢圓形玉珠，朱紅色漆地與晶瑩白玉相輝映，秀美華貴，爲漆器嵌玉工藝的最早源頭。

二、夏至春秋時期漆器

伴隨奴隸制的建立和發展，社會生產力的進步，中國漆器工藝在夏、商、西周及春秋時期步入新的發展階段，即緩進期。漆器生產已成爲一個獨立的手工業門類，工藝水平繼續緩慢發展。

1. 考古發現

夏代漆器僅見于河南偃師二里頭遺址及内蒙古敖漢旗大甸子夏家店下層文化墓葬。其中二里頭遺址被認爲是夏王朝都城，但目前在這裏發現的漆器數量少，且均出土于中小貴族墓，尚難以展現夏代漆器工藝的最高水平。

商、西周及春秋漆器出土數量略多，且出土地點較新石器時代明顯擴大，目前在北京、河北、陝西、河南、山東、山西、内蒙古、湖北、甘肅、安徽等省、市、自治區均有所發現。商代漆器以作爲商代政治、經濟、文化中心的河南安陽殷墟發現的數量最多，此外在河北藁城臺西、定州新鐵路貨場，山東青州蘇埠屯，河南鄭州銘功路、羅山蟒張、偃師商城，湖北黃陂盤龍城李家嘴、陽新白沙大路鋪等遺址和墓地中亦有部分出土。

發現西周漆器的地點，主要有陝西長安張家坡和普渡村、寶鷄鬥鷄臺和竹園溝、岐山賀家村，河南洛陽龐家溝、羅山蟒張、三門峽上村嶺，山西曲沃曲村、洪洞永凝堡，湖北蘄春毛家嘴，江蘇丹徒石家墩及甘肅靈臺，安徽屯溪等。除周王朝的中心區外，還涉及當時一些方國、邊地，表明漆器的使用範圍這時更爲廣泛。

春秋時期漆器，主要出土于山東曲阜魯故城、淄博齊故城、沂水劉家店子、莒縣大店子、臨沂鳳凰山、海陽嘴子前，山西長治分水嶺，河南固始白獅子地、淅川下寺，湖北當陽曹家崗與趙巷、江陵雨臺山，安徽舒城九里墩、青陽龍崗，陝西鳳翔八旗屯及秦公1號墓、户縣宋村，江蘇蘇州真山，浙江紹興印山等地的遺址和墓葬中。

2. 器類

目前發現的夏、商、西周時期漆器，包括豆、觚、杯、盤、壺、碗、盨、罍等飲食器，以及盛儲器具盒、匣，炊厨用具俎，家具案，樂器鼓等，有的應屬禮器的組成部分。其中俎、鼓等多發現于殷墟商王陵等高級貴族墓中，應大都作祭器使用，在北京房山琉璃河西周燕國墓地曾發現有漆觚、罍等替代青銅觚、罍等隨葬的現象。此外，這一時期貴族盛行以髹漆的木棺及木椁斂葬，殷墟商王陵等高級貴族墓中還使用雕花漆椁，并發現有大批髹漆的車與兵器的附件。

春秋時期，依生活需要而製作的漆器種類有所增多，生活用具中增加了漆耳杯、勺、奩、梳、篦等，樂器中新添了瑟、笙、排簫，兵器有盾、甲及戈、矛一類兵器的柄部分。春秋墓中還出土有髹漆的車輿、車傘、車轅等，以及鎮墓獸和木雕龍等。

3. 工藝

木胎漆器占絕大多數，有剜、鑿、斫等三種製法；胎骨較新石器時代趨于輕巧美觀，胎壁規整且變薄。河南羅山天湖12號商墓黑漆碗，胎體木紋順直，係先將樹木切成竪板，選擇其中最結實的邊材板加工而成，表明當時對漆器胎骨的製作已開始注意選材。

除木胎外，另發現少量竹胎、陶胎、銅胎、石胎、瓷胎漆器。因胎骨不同，製法亦各异，陶胎、石胎、銅胎漆器一般是在器表髹漆。

4. 裝飾

這一時期漆器大量應用描漆技法，器表多以黑、紅兩色漆描飾。臺西遺址漆器及琉璃河1043號墓漆觚等還在木胎骨上雕刻紋樣，并以不同色漆髹飾。描飾的題材大致可歸納爲動物紋樣、植物紋樣、自然景象、幾何紋樣和人類社會生活紋樣等五大類，其中常見的獸面紋、雲雷紋、夔紋、蕉葉紋、圓渦紋等，與同時期青銅器紋樣大略相近。反映社會生活的紋樣僅見于山東臨淄郎家莊1號墓出土的一件圓形漆器殘片上，畫面分三層，其中中層繪屋宇四座，内填繪人物、鳥、鷄和花草，人物的衣着與表情不盡相同，表現了賓主互贈禮物的場景。

器表鑲嵌工藝在這一時期極爲盛行，按材質大體分爲嵌銅件、蚌泡、蚌片、石珠（片）和薄金片飾等五種。陝西長安張家坡、山西洪洞永凝堡等地西周墓中還出土有一些銅木結構的漆器，其中永凝堡9號墓一件漆壺，蓋、口、下腹、圈足均銅質，餘爲木質，是目前所見最早的金工與漆器相結合的工藝。嵌銅件包括銅釦及耳等附件，以及扁平狀、泡狀銅飾等，或局部鑲嵌，或整體包鑲。張家坡152號井叔墓漆罍的器口、底鑲以銅釦，主要起加固作用，兼具裝飾功能。它們是迄今中國發現時代最早的一批釦器，漢代盛行的釦器當源于此。

在敖漢旗大甸子部分夏家店下層文化墓葬中，發現有漆膜碎屑間擺成平面的松石、蚌片和螺片，表明夏代已可能有鑲嵌松石和螺鈿的小型漆器。這時的蚌片和螺片雖然較粗糙，但它無疑是後世中國螺鈿工藝的源頭。

漆器上鑲嵌蚌片裝飾在商周時期同樣流行。青州蘇埠屯商墓内出土有用蚌片鑲嵌成虎紋和獸面紋的漆器。殷墟侯家莊1001號商王陵中亦出土有以蚌片鑲成的獸面及扉棱裝飾的漆器。西周時，蚌片的磨製與鑲嵌已達相當高的水平。房山琉璃河1043號墓漆罍等以多件蚌片組合構成主要紋飾，蚌片表面光滑平整，邊緣整齊，蚌片間接縫緊密；蚌片四周還常用彩漆勾畫輪廓。它們以長方形、圓形等多種形狀的蚌片嵌成圖案，工藝已較此前有較大發展。以房山琉璃河1009號墓漆豆等爲代表的一批西周漆器，則鑲嵌蚌泡爲飾，其蚌泡一般稍加打磨，以平直一面貼漆皮，凸起一面外露，散嵌器表一周或數周。

嵌石珠（片）裝飾技法亦大量應用，但工藝較簡單，除散嵌器體一周外，大多僅爲獸面紋的附飾。

上貼半圓形金飾片的藁城臺西14號商墓漆盒，是目前中國發現時代最早的貼薄金片飾漆器。西周早期的琉璃河1043號漆觚上亦貼有三道薄金片飾。將具有美麗光澤的貴金屬——金納入漆器裝飾領域，不僅擴大了漆器裝飾材料的範圍，也開啓後世金髹、嵌金、戧金漆器的先河。臺西14號商墓漆盒的薄金片飾正面還陰刻雲雷紋，較簡單地貼附金箔，工藝更爲複雜；琉璃河1043號墓漆觚所貼薄金片飾，光滑平整，與器表漆層粘接牢固，展示出當時對薄金片飾的加工和貼附已達一定水平，也表明漆器貼飾薄金片飾的歷史還應向前追溯。

羅山天湖12號墓商代晚期漆柲，器表方格雲雷紋由五層絲綫纏繞而成，圖案高低明顯，已具後世堆漆工藝的效果。

三、戰國及秦代漆器

戰國及秦代，迎來了中國漆器製造業的第一次大發展時期。當時的漆器生産遍及黃河、長江流域各諸侯國，規模大，品種劇增至近百種之多，廣泛應用于社會生活的各個方面，在日常生活領域已呈現逐漸取代銅器、陶器及竹木器的態勢，是當時最重要的生活器具品類。

1. 考古發現

戰國時期漆器的出土地點遍及大半個中國，發現的漆器數以千計，遠遠超越前代。

由于這時南方等地貴族盛行以厚實細密的白（青）膏泥封堵很深的木椁墓埋葬的習俗，墓葬密閉保護較好，加之部分地區具有地下水位較高、氣候潮濕等地理條件，戰國時期南方地區特別是楚文化分布區的貴族墓中隨葬的漆器大都保存較好。其中重要的發現包括湖南長沙楚墓，河南信陽長臺關楚墓，湖北江陵望山楚墓及雨臺山楚墓、荆州天星觀楚墓、隨州曾侯乙墓、荆門包山楚墓，四川青川郝家坪墓地、滎經曾家溝戰國墓等。這一時期北方地區盛行以土坑豎穴墓和洞室墓埋葬，大型墓常在墓室部分積石、積炭以防潮和防盜，隨葬的漆器大都僅存朽迹。

秦代漆器則集中發現于湖北雲夢睡虎地墓群，另在湖北雲夢龍崗和木匠墳秦墓、江陵鳳凰山墓地、楊家山秦墓、獄山15號墓、棗林鋪綠化街1號墓，河南泌陽官莊秦墓，四川滎經曾家溝和古城坪秦墓，甘肅天水放馬灘秦墓群等內亦有部分發現。

2. 器類

目前出土實物可達近百種之多，涉及當時社會生活諸多方面，按用途可粗略分爲飲食器、盛儲器、家具、樂器、兵器、娛樂用具、葬具及日用雜器等門類。飲食器有杯及耳杯、卮、盤、樽、壺、扁壺、簋、盂、斗、魁、匕、勺及庖厨用具俎等；盛儲器有盒、奩、箱、桶、笥、篋等；家具有床、案、几、禁、席；樂器有鼓、瑟、琴、笙、竽、篪、排簫、相等；兵器有盾、弓、矢箙、劍鞘及兵器柄等；娛樂用具有六博及曾侯乙墓中出土的上墨書"木"等字如棋子一類的小圓木餅；葬具有漆棺、笭床，以及專用殉葬的鎮墓獸、鹿、虎座飛鳥、鹿座飛鳥、俑等；日用雜器包括梳、篦等梳妝用具以及扇、枕、虎子等。

3. 工藝

這一時期漆器胎骨大體可分爲木、夾紵、竹、皮、銅、骨角、陶、笋葉等類。部分器類的選材有一定共性。具體製作大多因材而异，依器而定。部分漆器結合使用兩種或兩種以上材質。其中以木胎應用最廣，依不同器類或鋸割，或剜鑿，或斫削，或雕刻，大多結合使用兩種或兩種以上技法。夾紵胎至遲出現于戰國中期，目前在四川青川、湖南長沙左家塘、湖北江陵馬山等地戰國中晚期墓葬中有部分出土。

4. 裝飾

描漆（油）爲這一時期主要裝飾手法，個別的器表鑲嵌玉片及薄銀飾片等；有的還嵌鎏銀銅釦，既富裝飾效果，又起到加固器體的作用。器表彩繪，除黑、紅兩色漆外，還大量采用黃、褐、金等色漆，且多數以兩種以上的色漆勾描。當時對各色漆的配置已達相當高的水平，不僅色彩多樣，且能熟練掌握深淺變化，使圖案富有層次。江陵望山1號墓漆小座屏甚至使用紅、黃、褐、綠、藍、白、黑等九種顏色描繪，華麗無比。

裝飾題材多樣，粗略區分主要有以下五種：①幾何紋樣，有點、菱形、方格、三角、圓形等；②寫實或誇張變形的動物形紋，如鳥頭紋、鳥雲紋、鳳鳥紋、龍紋、魚紋等；③植物紋樣，如花葉、柿蒂等；④自然景象紋樣，如捲雲紋、雲氣紋、波折紋（水波紋）等；⑤人類社會生活紋樣，如飲宴、送別、歌舞、相撲等。裝飾圖案多以毛筆采用單綫平塗法勾勒紋樣，構圖講究對稱與平衡，或獨立，或連續，靈活自如，綫條盤旋宛轉，流暢自然，并注重主體紋樣與邊襯紋帶的和諧配置。曾侯乙墓、包山2號墓及河南信陽長臺關1號墓等戰國貴族墓出土的部分漆器的漆畫，構圖往往以人物爲主體，其間襯以鳥獸、花草、樹木及車馬等，描繪精細，集中體現戰國時期繪畫藝術所取得的杰出成就。

包山2號墓雙連杯，鳳負雙杯的造型十分別致，主鳳雙翼及小鳳尾部以漆灰堆成，上再描飾彩色紋樣，與後世常用的識文描漆做法完全相同，表明堆漆技法在戰國中期已見端倪。而且該雙連杯上亦嵌以銀飾，極爲少見。

5. 銘文

這一時期部分漆器上開始出現文字及符號，或烙印，或針刻，或漆書。雲夢睡虎地秦墓出土漆器銘文內容頗爲豐富，涉及當時製漆業許多方面，爲戰國秦及秦代"物勒工名"制度的具體反映。其中"咸亭"、"咸市"、"許市"、"鄭市"等，標明其爲咸陽、許昌、新鄭等地所屬漆器作坊的產品；"路里"、"錢里大女子"、"安里皇"等，爲所出自某私營漆器作坊及製器者名。"素"、"包"、"上"、"告（造）"等説明當時漆器製造業分工更細密，出現素工、上工、包工等工種。有的烙印和針刻的文字還反映出使用者的名字與身份。泌陽官莊3號墓漆圓盒上還針刻紀年銘文，明確記録其製作年代。

楚地出土漆器上有銘文者不多，僅在隨州曾侯乙墓、江陵雨臺山楚墓、荆門包山楚墓、安徽舒城縣楚墓等内有所發現，標明器物用途、擺放位置，另有吉祥語等。曾侯乙墓漆衣箱上漆書二十八星宿名稱，頗爲難得。

四川地區出土漆器上刻劃或烙印文字的現象亦較爲普遍，曾家溝墓群漆器上的"成"、"成草"、"成亭"等，表明它們爲成都漆器作坊所製。此外，部分漆器上還發現有被稱爲"巴蜀圖語"的文字或符號，別具特點。

四、漢代漆器

漢代，是中國歷史上漆器的製造與使用最繁盛的階段。漆器深受社會各階層人士喜愛，成爲一時之趨，製作極盛，基本遍及全國，規模大，產量高。後世常用的多種技法均已大體具備。

1. 考古發現

漆器爲漢墓的主要隨葬品。目前發掘的上萬座漢墓中，相當一部分均隨葬有漆器。不僅在湖北、湖南、江蘇、安徽、山東等長江和黄河中下游地區有大批發現，就連廣東、廣西、甘肅、貴州、雲南、吉林等周邊地區亦有一定數量出土。朝鮮平壤、蒙古諾音烏拉等地也曾出土一批中國漢代漆器。它們有些爲當地漆器作坊所產，有些則是隨商貿往來或朝廷賞賜而廣爲分布的。

西漢時，使用豎穴木椁墓埋葬的習俗流行，相當一部分漆器保存良好。西漢末期以後，磚室墓、石室墓及土洞墓在中原地區日益流行，并逐漸推廣到全國，因其密封程度不佳，且易滲漏，漆器大都僅餘漆痕，加之西漢晚期隨葬品多用陶質模型明器，出土漆器呈大幅度減少的趨勢。湖北、湖南等原楚文化分布區沿襲春秋、戰國以來流行的以很深豎穴木椁墓埋葬并以白膏泥（或青膏泥）填充的習俗，漆器保存大體完好。湖南長沙馬王堆西漢墓等一大批貴族墓隨葬的漆器數量多，且大都完好如新。

2. 器類與造型

漢代漆器功能多樣，涉及當時生產、生活的許多方面，其中飲食器有杯、卮、樽、盤、盂、圓盒、扁壺、鍾、鈁、耳杯盒、筒、壺、豆、鼎、匜、斗、勺、匕、箸等，盛儲器有奩、笥、箱、桶等，樂器有琴、瑟、竽、筑、笛等，家具有案、几、屏風等，兵器有盾、弓、弩機、矢箙、劍鞘、兵器架、甲等，喪葬用具有棺、椁及俑等，日用雜器有扇、博具、栻盤等。其中每一類形制大體一致，如數量巨大的耳杯及盤，全國各地的造型均相差無幾。各類器物一般有大小不同的規制，有些具有一定的地方特色，尤以西漢時期明顯。

3. 工藝

漆器胎骨包括木胎、夾紵胎、竹胎、皮胎、陶胎、石胎、銅胎、鐵胎、鉛胎、角胎、骨胎、蘆葦胎、葫蘆胎等，仍以木胎最常見。

因胎骨與器類不同，製法各异。其中木胎漆器的製法主要有斫製、剜、鑿、雕、捲製和鏇製，往往是以一種製法爲主，輔以其他製法。鏇製的應用，不僅提高了生產效率，而且使器皿造型更規整美觀。如盤、盂、盒等多鏇製并結合剜、鑿等方法製作；卮、奩等圓筒形器一般以薄木板捲製；耳杯、案等多斫削而成。大都胎體規整，自早期及晚期胎壁漸薄。

西漢前期夾紵胎漆器的數量遠遜于木胎漆器，但已較前代明顯增多，特別是貴族墓出土漆器中夾紵胎較多，且出現部分大型製品，表明工藝完全成熟。西漢後期，夾紵胎漆器的數量急劇增加，并已推廣到全國大部分地區。

漆器胎骨製成後，再采用垸漆技法，即在其上塗以用角、骨一類的粉末調成的灰漆。東漢樂浪王旴墓出土的蜀郡所産漆耳杯、盤等的漆書銘文中多次出現"行三丸（垸）"字樣，可知當時蜀郡工官所製漆器曾垸漆多道，工藝頗爲講究。

4. 裝飾

仍以描飾爲主，同時結合使用錐畫、嵌金、嵌銀、嵌金銀及鑲嵌等多種技法。

明代黃成《髹飾録》所記"描飾"類中的描漆、描油、描金、漆畫等技法在漢代均已齊備，并達到較高水準。器表多以黑漆爲地，上以紅、灰、綠、黃等色漆描飾，同時還以植物油調色描飾白及淺黃色紋樣。西漢前期描飾紋樣受戰國及秦代影響較大，多見雲紋、變形鳥頭紋、鳥雲紋及龍紋、鳳紋等題材，新出現犀牛、魚等寫實性較強的動物紋樣，亦有部分表現神怪及車馬人物的畫面，較戰國時構圖漸趨靈活輕快，呈現生動活潑的新氣息。西漢後期紋樣描飾更趨精緻，多見花葉紋、三熊紋、鳥紋等紋樣，還新出現以人物故事爲題材、反映宴飲等生活場面的畫面，綫條流利靈動。東漢描飾紋樣的題材基本承襲西漢，但略簡單，構圖亦稍繁密瑣碎。

在漆器器表錐刻細密紋樣的"錐畫"技法，在漢代曾流行一時。器表錐刻流雲紋、羽人、鳥獸等紋樣，細密流利。部分錐刻紋樣内還填以色漆及金彩、銀彩。其中錐刻紋樣内填金彩者，即所謂戧金漆器；錐刻紋樣内填銀彩者，即所謂戧銀漆器。湖北光化五座墳3號及6號墓出土的漢武帝時期的漆卮，爲中國已知時代最早的戧金漆器。

以鏤切成各種形狀的金或銀薄片作裝飾，在漢代亦相當流行，其中尤以西漢廣陵郡（今江蘇揚州一帶）應用最廣，工藝最精妙。金銀薄片多爲鹿、虎等動物形，柿蒂紋、三葉紋、菱形紋等幾何形紋，以及人物、車、馬和山水流雲等。有的還表現車馬出巡、狩獵、雜技、操琴等場面，内容豐富。嵌飾金薄片與銀薄片的漆器大都以黑、褐等深色漆爲地，薄片外的空間還往往描繪雲紋等紋樣。邗江姚莊101號墓漆七子奩等嵌金銀飾件的裝飾效果極佳，是唐、五代時期流行的金銀平脱的前身，説明嵌金銀工藝此時已較成熟。

器口及器底上鑲金屬釦箍的釦器亦有較多發現，金屬釦箍多銅釦（含鎏金及鎏銀的銅釦），銀釦較少，金釦目前則僅見兩件。釦上飾多種紋樣，豪華者還用金、銀絲嵌錯花紋，兼具裝飾功能。部分貴族日常使用的耳杯雙耳上還多鑲鎏金銅殻，即《鹽鐵論》中所稱的"銀口黄耳"。

此外，北京大葆臺1號西漢墓出土漆器上嵌有紅瑪瑙、白瑪瑙、玻瑠、雲母及金薄片等，已初具後世"百寶嵌"的裝飾效果。

5. 銘文

漢代漆器銘文較戰國及秦代數量更多，内容更廣。它們或漆書，或烙印，或針刻，一般爲幾字，長者數十字，最長者竟多達七十字。按内容等區分，大體可分三類：

①所有權標志。上書姓氏或官爵一類文字。如馬王堆1號墓漆器上大都書寫"軑侯家"字樣。武威磨嘴子62號漆耳杯等上針刻"乘輿"字樣，則表明它們爲皇帝的御用品。

②標明用途，兼有祝福吉祥之意。馬王堆1號墓漆耳杯、盤等上書寫有"君幸酒"、"君幸食"一類的言辭。

③記録器名、産地、製作者及容量等。除部分西漢前期漆器烙印産地的銘文多二字外，一般字數較長，且逐漸形成一定格式，隨時代推移略有變化。西漢後期，有些銘文略短，記録漆器的産地、器名、製作時間、負責製作的官吏及工人的名字和尺寸等，但未形成統一格式，順序也不一致。隨着工官制度在各地推行，官營漆工作坊内管理嚴格，銘文格式漸趨統一，字數也越來越長。從目前多見的蜀郡工官和廣漢工官漆器銘文分析，其一般包括製作年代、工官名稱、器物名稱、容量、製作該器的工人及各級官吏的名字等，其中製器工匠按製作工序的先後排列，對詳細瞭解漢代漆器製造工藝有重大價值。在記述漆工及官吏名字時，一般按素工、休

工、上工、黄塗工、畫工、汭工、清工、造工、護工卒史、長、丞、掾、令史等順序，根據該器用工情況先後介紹。它較戰國、秦時期新增加黄塗工（爲器鑲飾鎏金銅耳及釦等之工）、汭工（可能是打磨漆器之工）、清工（將製成漆器修整、洗净，負有檢驗産品職責的檢驗工），畫工（描漆彩繪之工）也獨立標示爲專門的工種；護工卒史爲少府派往各工官擔當監視、督察任務的官吏，長爲工官中主要的行政負責官員，丞爲長的副職，掾爲長、丞下的辦事官吏，令史則是掌管文書的官吏。東漢以后，隨中央對地方漆器作坊的控制逐漸鬆馳，銘文内容略有變化與簡化，有的還出現購器者名及價格等。

五、三國兩晋南北朝漆器

三國以降，社會動蕩，政權更迭頻繁，生産力遭受嚴重破壞，漆器工藝亦不例外。同時，東漢晚期燒製工藝趨于成熟的青瓷器發展迅猛，對漆器生産衝擊很大。但漆器工藝的進步在這一時期并未停止。

1. 考古發現

這一時期廣泛采用磚室墓殮葬，漆器大多保存不佳，如甘肅武威南灘魏晋墓、遼寧北票北燕馮素弗墓及江蘇南京等地六朝墓，漆器胎骨大都朽殘，有的甚至器形難辨。僅有部分墓葬由于墓内積水及淤泥較厚等特殊原因，尚有少量漆器大體完好。重要的發現有安徽馬鞍山三國吳朱然墓、江西南昌東吳高榮墓、南昌火車站晋墓群、遼寧朝陽袁臺子東晋墓、山西大同北魏司馬金龍墓、寧夏固原北魏墓、江蘇鎮江賀家村和南京江寧官家山南朝墓等。

2. 器類

作爲飲食器具，瓷器較漆器具有更大優勢，如無异味、製作簡便、生産成本低等，青瓷器在日用飲食器領域逐步替代了部分漆器。但在其他領域，漆器的使用仍相當普遍。南北朝時期，漆器又因其由奢侈品日益轉變爲日常生活用具而大量生産。目前發現的這一時期漆器雖不多，但應用範圍較廣，其中飲食器具有耳杯、盤、鉢、碟、碗、樽、壺、盒、攢盒、槅、匕、勺及食案等，梳妝用具有奩、梳、篦等，文書用具有硯，家具有案、憑几，日常用具有尺、屐，葬具有棺，等等。造型大體沿襲漢代同類製品。其中槅、憑几、托盤、攢盒等，是這個時期新出現的漆器類型。

3. 工藝

漆器胎骨仍以木胎比例最大，但夾紵胎日益普遍，另有竹（篾）胎、皮胎等。胎骨製作工藝較漢代有較大進步。

木胎采用鏇、挖、斫等方法製成，大都經布漆、垸漆、糙漆等工序──器表多糊以織物，并布以漆灰，漆灰厚度較以前有較大增加，使胎骨更堅牢。

夾紵胎應用漸趨普遍，尤其是南北朝時期，小至耳杯，大至逾丈的佛像均以夾紵胎製作。南北朝時佛教盛行，特別是每年四月八日佛祖釋迦牟尼生日時需進行所謂的"行像供養"，即將佛像置于輦中在城中巡視，這要求佛像高大、堅實、輕巧以便出行，夾紵胎佛像的製作因之興盛，工藝日益進步，南北朝時期也因此成爲中國古代漆器工藝發展的一個轉變期。

4. 裝飾

描漆（油）仍爲當時最重要的漆工技法，同時還應用犀皮、戧金、堆漆等。

描漆（油）技法在繼承漢代工藝傳統的基礎上，又融匯當時繪畫技巧而推陳出新，用彩豐富，繪畫技巧高超。多依需要在紋樣內平塗金、紅等色漆，最後再在其上以紅、黑漆勾畫紋理。題材十分豐富，有西漢以來常見的宣揚禮教道德的人物故事，有反映宮闈宴樂、出行及狩獵等貴族生活的圖畫，有表示祥瑞的神禽神獸及山水、雲樹等，其中人物故事圖案大量增多，漢代常見的圖案化的龍鳳紋、雲氣紋、花草紋等多作輔助裝飾。畫面主題鮮明，以人物故事、生活場景等爲中心，構圖較靈活，不刻意追求呆板的對稱，注意人物之間的呼應與圖案間的襯托；綫條生動流暢，色彩豐富明快，同時注重對人物表情的刻畫及層次的處理。它們既形象再現了當時經濟、文化等多方面內容，也是研究當時繪畫藝術的難得資料。

朱然墓季札挂劍漆盤、司馬金龍墓漆屏風、固原北魏墓漆棺等漆器上的白、黃二色紋樣，應是用油描繪的。當時所用油除傳統的荏油外，麻油、胡桃油（核桃油）也可能開始逐漸使用。此外，還大量使用可能來自波斯的"密陀僧"──入油調色作畫可起迅速乾燥作用的一種氧化鉛。宋代以前，它一直是中國漆工使用的重要原料，并經中國傳入日本。

犀皮是中國傳統漆工技法之一，以往人們曾據文獻認爲犀皮工藝出現于唐，但朱然墓出土的耳杯，器外壁飾以黑、紅、黃三色相間的漩渦狀斑紋，確屬犀皮製品，且工藝已相當成熟。這是中國目前發現時代最早的犀皮製品，將犀皮工藝的誕生時間提早了六個世紀。

由于夾紵胎佛像的流行，堆漆技法也大量應用，并隨之獲得發展。當時用漆或漆灰塑造佛像五官、衣紋等部位。固原北魏墓漆棺上還應用嵌金及描金技法。北燕馮素弗墓嵌骨長方盒，在黑漆地上以菱形骨片嵌飾幾何紋，殊爲奇特。

六、隋唐五代漆器

隋唐經濟的繁榮，使漆器工藝得到長足發展，漆器逐漸向工藝品方面發展，製造日益精巧。金銀平脫與螺鈿漆器流行一時，工藝水平達到新高峰。

1. 保存狀況

個別唐、五代漆器作爲珍寶得以流傳至今，改變了此前歷代漆器均爲考古發掘品的局面。現存作品多爲琴、尺八一類樂器，以日本正倉院的收藏最爲重要。

受埋藏條件所限，考古發掘出的漆器數量少，品種較單一，且大都保存不佳，難以全面展現當時漆器工業面貌。其中隋代漆器僅見于陝西西安隋李静訓墓等個別隋墓。唐代漆器在河南鄭州、三門峽，陝西西安、扶風等地唐墓中有零星出土。五代漆器則主要見于江蘇蘇州、揚州邗江、常州，浙江湖州及四川成都等地的塔基及墓葬中。

2. 器類

在日常飲食器具領域，漆器數量大爲減少，目前所見有碗、盤、托盞、鉢、盆、盒、勺等，造型與同時期瓷器基本相同。其他則包括梳、篦、奩、粉盒、鏡、鏡盒等梳妝用具，箱、屏風等家具，琴、笙等樂器，佛像、經函、册匣、寶盝等宗教及謚禮用具，以及喪葬用具棺等。

3. 工藝

胎骨多爲木胎、夾紵胎，還有銅、竹、玉、鐵、犀角、瓷等類胎骨。上所塗灰漆十分講究，琴類漆器多以鹿角灰調漆。

木胎的製作，隋唐時期除繼承傳統的剜、鑿、斫、鏇等方法外，還使用在捲木胎基礎上發展而來的圈叠方法，即將長而窄的木片（條）盤曲成圈，以接口相錯一圈圈纍叠粘合成器，再打磨或糊以麻布，最後施漆灰。揚州唐城等地出土的唐代漆器，已采用圈叠方法製成，胎骨輕薄且堅牢，表明漆器木胎骨製作工藝取得了重大進步。

夾紵胎多被用來製作佛像及其他生活用品。文獻中曾記述唐代夾紵胎佛像有的體量巨大，有的形制精妙，但存世實物寥寥，僅在美國紐約大都會博物館等處藏有少量唐代夾紵胎佛像。

銅胎漆器仍在部分使用，其中最重要的就是在日用的銅鏡鏡背施加金銀平脫及螺鈿等工藝，使之更顯精工富麗。

以瓷、玉、犀角等爲胎，也是唐代創新之舉，它們表面光滑堅硬，上髹漆并施以金銀平脫或螺鈿等，更需要高超的工藝技巧。以玉、犀角等爲胎骨的漆器僅見于文獻記載，瓷胎漆器僅在陝西扶風法門寺唐代地宮等内有零星出土，其中一對平脫銀釦秘色瓷碗外髹黑漆，內顯瓷胎，貼鏤銀鎏金團花五朵，附飾散枝繁葉，十分富麗堂皇。

隋唐琴學昌盛，名曲、名琴、名家紛紛涌現。當時不僅要求琴造型美觀，更注重琴的音色，在選材、漆與漆灰的調製和髹飾等方面要求更爲嚴格。琴的製作在一定程度上代表了這一時期漆器製作的最高水平。

4. 裝飾

與當時社會追求奢華的風習相合，金銀平脫工藝頗爲流行，特別是在唐玄宗開元、天寶年間（公元713－756年）更風靡一時。其采用金、銀等貴金屬裝飾，豪華富麗，深受當時社會各界人士的推崇，并多被用于朝廷賞賜重臣及四方藩屬。唐代金銀平脫工藝又有創新和發展，器表裝飾面積明顯擴大，個別甚至滿嵌紋樣，平脫中嵌金、銀絲者，尤爲優美，金、銀薄片上還多精細雕刻紋理，使原本即相當纖細的紋樣更加細緻入微，極具表現力且富有層次感。

未經其他裝飾的一色漆器，工藝水平在唐、五代時期獲重大發展，大都漆層堅牢且精光內含，其中以琴的髹飾水平最高。常州五代墓漆托盞及湖北監利福田五代墓漆碗、盤、鉢、勺等，雖出自中下層人士的墓中，但工藝水平不低。

商周時期較爲發達的螺鈿工藝在這時又被大量應用，雖仍屬厚螺鈿，但水平明顯提高，所嵌殼片種類增多，且磨製精細，表面平整光滑，多以物象各個部位的形狀裁切組成畫面或多種圖案；殼片上還刻以紋理。出現了像河南洛陽澗西唐墓高士宴樂螺鈿鏡一類構圖繁複、反映社會生活等內容的精美之作。

堆漆在這一時期多用于製造夾紵胎佛像及其他佛教用具，如美國紐約大都會博物館藏唐代佛坐像、西雅圖博物館藏佛半身像等，但實物存世較少。現藏于日本法隆寺、東大寺等處的一批唐代堆漆漆器，雖有可能實際是日本產品，但也應是受唐王朝的影響而生產的。

七、宋元漆器

宋元時期，呈現一派百花齊放、推陳出新的新氣象，是中國漆器工藝史上繼續全面發展的時期。與當時審美習俗相一致，一色漆器盛行一時，戧金銀、螺鈿、雕漆、堆漆等技法大量應用，漆器品類繁多，技法高超，并涌現出張成、楊茂等一批製漆名家。

1. 保存狀況

目前發現的漆器大都爲北宋、南宋及元代製品，可確認爲遼、金、西夏作品的寥寥無幾。其中遼代漆器主要見于河北張家口宣化下八里遼墓及遼寧法庫葉茂臺墓，金代漆器主要見于山西大同閻德源墓。這可能與其地處北方，出土漆器保存不佳有關，也可能與其漆器業不發達有關。

除國內部分博物館外，日本東京國立博物館、圓覺寺及美國紐約大都會博物館等也收藏有一批傳世的宋元漆器，以各類雕漆漆器保存好，價值高。考古發現的漆器，主要出土于江蘇、浙江、湖北、安徽、上海等地宋元墓葬中，其中以湖北武漢漢陽北宋墓、江蘇常州武進蔣塘村南宋墓、浙江杭州老和山南宋墓、上海青浦元代任氏家族墓等出土漆器最爲重要。

2. 器類與造型

宋代漆器多見日常生活用具，以及宗教用具和工藝品。飲食器有盤、碗、鉢、盞托等，盛儲器有盒、罐、筒等，家具有几、屏風、坐墩等，文書用具有筆床、鎮紙等，梳妝用具有梳、篦、奩、鏡盒等，喪葬用具有棺等。其中以盤、碗最多，并多幾件成套。漆製塑像仍在大量製作，用來瘞埋佛舍利的漆製小型塔、幢也爲數衆多。伴隨雕漆等工藝技法的進步，盤、盒等部分漆器，特別是張成、楊茂等名家的作品，已從生活用具中脫離出來，成爲純粹的藝術品。

造型多與同時期的瓷器、金銀器基本一致，各地樣式也大體相同。如碗、盤一般作圓口或花瓣口，平底或帶圈足，其中花瓣形口多分六瓣，少數爲十瓣。

3. 工藝

胎骨多爲木胎、夾紵胎，另有竹胎、金銀胎、銅胎等。蘇州瑞光寺塔真珠舍利寶幢等個別體型較大、器形複雜的作品，還結合使用兩種或兩種以上胎骨。

一色漆器的流行，對胎骨的工藝水平要求更高。木胎多圈叠及鏇製而成，胎體規整，輕薄堅實；胎體表面多糊麻布類織物，并上塗漆灰。

據記載，當時宮廷曾使用金、銀胎漆器，器表經戧劃顯露金地或銀地，具有戧金或戧銀的效果；有的還在其上施以雕漆工藝，內露金胎或銀胎，但實物幾乎不存。目前在江蘇常州、沙洲等地宋墓中出土有銀裏木胎漆器，或可作爲金、銀胎漆器的一種替代形式。

4. 裝飾

與唐代崇尚奢華不同，宋代社會審美習俗發生重大改變，文人士大夫崇古并以清新自然爲上，使日常用具及工藝品多呈現古樸素雅的風格，漆器也不例外。漆器以造型取勝，器表髹漆講究，或退光或揩光，皆精心製作，漆層細密光滑，與胎骨接合牢固，藝術水平較其他時期的漆器并不遜色。

一色漆器多通體髹黑漆，少數器內及器表髹醬紅色漆或紫褐色漆等，但底部多塗黑漆；另有部分內黑外紅或外黑內紅，鮮有通體髹朱漆及金漆者，這可能與北宋景祐三年（公元1036年）頒發的"凡器用毋得表裹朱漆、金漆，下毋得襯朱"的詔書有關。

雕漆爲當時盛行的漆工技法之一，按器表髹漆不同，有剔紅、剔黑、剔犀等。現存宋代雕漆器作品數量不多，且大都流失海外。其中剔紅漆器，僅有現藏故宮博物院的南宋晚期桂花紋剔紅盤。剔黑漆器，有現藏日本的南宋嬰戲圖剔黑盤及醉翁亭雕漆盤等。剔犀漆器，在江蘇常州、金壇、沙洲等地南宋墓中有所出土。元代雕漆漆器傳世和出土的數量略多，其中還有數件張成、楊茂等名家的作品。它們的刀法多"藏鋒清楚，隱起圓滑，纖細精緻"（明黃成《髹飾錄》），技臻絕妙。雕漆漆器裝飾題材多爲花草人物、庭臺樓閣及雲紋等幾何形紋樣，部分取材山水畫及人物畫，如觀瀑圖、柳塘小景、廣寒宮圖及人物閑游圖等，多表現一種自然恬淡的意境，有的還展示戰爭場面等，帶有故事畫的性質。構圖大多疏密有致，細部紋樣則精細刻畫，追求形神兼備的藝術效果。

北宋描金漆器發現較少，除單純的描金工藝外，還有描金堆漆工藝，技藝精湛，其圖案風格上承晚唐五代，下啓南宋、元代之時尚。

宋代戧金漆器在江蘇常州武進等地有部分出土，裝飾題材與當時雕漆漆器相近。武進宋墓戧金花卉人物奩通體以戧金爲裝飾，戧金紋樣構圖疏朗，綫條流暢而富有生氣，局部細密刷絲，金色濃艷；戧金柳塘圖長方盒則采用戧金和填漆相結合的工藝技法，以戧金作柳塘小景，物象之外還鑽小孔，内填朱漆作細斑地，別具裝飾效果。元代戧金銀漆器更爲流行，涌現出彭君寶等戧金名家，實物存世數量亦較多，工藝與宋代相近，但大都存于海外。

螺鈿器僅在江蘇、北京等地有所出土，依所用殼片的厚度有厚螺鈿、薄螺鈿之分。目前發現時代最早的薄螺鈿實物爲元大都嵌螺鈿廣寒宮圖黑漆盤，雖爲殘片，但圖案細密，色彩絢麗，殊爲精美，且與胎骨結合牢固，證明元以前薄螺鈿已全面成熟。

元末時，江西吉安一帶是螺鈿漆器的製造中心之一，現藏日本東京國立博物館的樓閣人物漆捧盒和廣寒宮漆八方盒，展現出吉安螺鈿漆器高超的工藝水平。

5. 款識

此時部分漆器上針刻或書寫銘文，用途較雜。一色漆器多在器外壁或底部黑漆地上朱書製作時間、產地、作者等内容，字數較少，大都爲製漆者名或製漆者所在作坊的名稱或標記，有的僅署特定的畫押，江蘇常州武進孫家村元墓漆碗碗底正中還書寫八思巴文"陳"。它們主要用于區別他家產品，宣傳自家產品質量，與當時商品經濟的迅速發展密切相關。雕漆漆器多在器底針刻銘款，它們均在漆器製成後書寫或針刻，其中也可能有少量使用者的標記。

八、明清漆器

明清兩代，各種漆工技法完善，技藝精湛，使中國古代漆器達到"千文萬華，紛然不可勝識"的鼎盛時期，名工大師紛紛涌現。

1. 保存狀況

存世的明清兩代漆器實物數量浩繁，特別是故宮博物院、臺北故宮博物院等保存有一大批明清宮廷製品及名工名作，門類齊全，製作炫巧争奇，代表了當時漆器工藝的最高水平。此外，在山東鄒城明魯王朱檀墓及湖北、江蘇等地明清墓葬中亦出土有一批漆器作品。

2. 器類與造型

現存明清兩代漆器涉及的範圍很廣，既有盤、碟、盒、壺、瓶、罐、碗、杯等日常器皿，也有桌、几、櫃、櫥、箱、屏風、坐墩、寶座一類家具，琴一類樂器，爐、燭臺一類佛前供器，尊、梅瓶、天球瓶、扁壺等各式陳列用品，筆筒、筆等文玩用具，以及圍棋盒等玩具。因工藝精，相當一部分日常器皿亦屬陳列用品。

明清兩代漆器造型多樣，特別是盤、盒一類變化相當豐富，如盤有圓形、橢圓形、長方形、方形、委角方形、菱形、八方形、葵瓣式、菱花式、梅花式、荷葉式、銀錠式等數十種，香盒有輋形、畫舫形、殿閣形、楓葉形、圭璧形及桃、花生等瓜果形，頗爲繁雜，極盡巧思。清代中期還出現了大量仿古作品，如仿商周青銅器的觚、尊、壺等。

3. 發展狀況與工藝特點

據現存實物及文獻，可將明清時期漆工藝大體分爲五個發展階段。

第一階段，明洪武至宣德年間（公元1368–1435年），是對宋元漆器的繼承與發展時期，以北京果園廠生產的各種雕漆作品成就最高。明初，一大批元代優秀工匠爲明朝所用，他們的後人也承繼祖業，故漆器作品在風格上與元代有很多近似之處，如雕漆髹漆厚實，有時多達上百道，色澤光亮，雕刻深峻，多經精細打磨，棱角圓滑，顯現肥厚圓潤、豪放富麗的風格，圖案以花卉、鳥獸、山水人物圖案爲主，一般都充滿整個作品，密不露地，其中以花卉紋水平最高。剔紅、剔黑器較爲常見，剔彩器已有相當成就。填漆、螺鈿鑲嵌、戧金等工藝也有一定發展。填漆作品漆光溫亮，色調沉穩，剔刻精細，填色飽滿，很難看出填色痕迹。薄螺鈿漆器已很普遍，多以黑漆或朱漆爲地，鈿片的選用更注重天然色調的組成，切削精細，拼貼完整，層次清晰，色彩光怪陸離，富于變化。戧金漆器以朱漆地居多，漆色純正，戧金部分細膩流暢。種類以小件的杯、盤、碗、碟、壺、盒爲主，較大的品種有香几等。

第二階段，明正統至正德年間（公元1436-1521年），藝術風格出現重大變化，承上啓下——第一階段的技法、裝飾風格仍時有出現，但新風格逐步形成，并最終成爲主流。雕漆趨向于纖巧細膩，不善藏鋒，底層多飾錦地，常以朱漆爲錦地、黑漆爲面刻花紋，漆層漸薄，受新興的雲南雕漆的影響，棱角不復打磨圓滑，保留棱角，別有情趣；花卉紋仍爲主要題材，但大株整朵的少見，代之以折技花卉和靈巧別致的小朵花；開光使用漸多，將花鳥魚蟲組織其中。漆器以盤、碗、杯、瓶等小件爲主。這時官營作坊趨于衰落，遺留作品不多，有銘款的器物更少見。

第三階段，明嘉靖至清順治年間（公元1522-1661年），工藝風格在此時已迥異于第一階段，以繁縟細膩、工巧華麗代替簡練大方、莊重樸拙。官營手工業又重新恢復活力，雕漆、填漆、描金漆器生產規模擴大，其他漆器品種也得到發展。至天啓、崇禎年間，由于社會的極度動蕩，經濟財力的匱乏，漆器的生產再次瀕于衰落。

清初漆器藝術風格保持明代晚期的特點。雕漆仍是主流產品，由于果園廠中雲南工匠增多，一種新的藝術風格融入，刀法細密，作風嚴謹，雕刻不再藏鋒，磨工很少，棱角畢現，表現更加有力準確。紋樣題材多富有宗教氣息及歌功頌德含義，吉祥文字被巧妙嵌飾圖案中。剔彩更加熟練，在傳統分層平塗的"橫色"技法基礎上又發展出局部髹色漆的"豎色"技法，用于表現作品的花筋、葉脉等局部紋飾，作品種類十分豐富。

彩繪描飾，包括描漆、描油、描金、描金罩漆、識文描金等，其中描金漆器异常精美，多以黑漆爲地，紋飾細膩，使用泥金技法的更加金光燦爛。金色的選用很講究，深淺濃淡運用自如，層次分明，具有很强的立體效果。

雕填漆器技藝有很大提高，花紋不局限于填色，也有描色，更多的是填、描兼用，烘托整體氣氛；填色豐富，色澤艷麗，輪廓内的金色光澤更加奪目。填嵌飽滿，不見痕迹。

明末周翥在總結前人珠寶、金銀、螺鈿鑲嵌技法的基礎上創製了"百寶嵌"技法，以金銀、珠寶、玉石、螺鈿等原料，鑲嵌于漆器表面，色彩斑斕，富貴華麗，爲時人競相追求的珍品。

除官營作坊外，民間漆器作坊也得到迅速發展。各地形成不同的生產體系，如江浙一帶的雕漆，山西的木雕款彩漆，福建莆田、廣東潮州、浙江東陽的木雕金漆，江西吉安的螺鈿鑲嵌等，都頗富盛名。

第四階段，清康熙至乾隆年間（公元1662–1795年），是漆器工藝發展的頂峰時期。工藝水平又有新發展，題材內容豐富，裝飾手法多樣，造型複雜多變。

乾隆皇帝喜愛漆器，故乾隆年間漆器生產頗爲興盛。與乾隆年間奢靡的社會時尚相適應，漆器製作窮工極巧，裝飾繁縟，成功作品的藝術成就令人嘆爲觀止，但有些不免繁瑣，失于造作。這時的漆器仍以雕漆爲主，描金、螺鈿、百寶嵌、填漆等類漆器亦取得高超成就。

乾隆年間雕漆風格多樣，新的題材及裝飾手法不斷涌現。花卉題材仍較多見，但出現兩種新的變化：一種滿花不露地；另一種是在錦地上雕各種折枝花卉或成組對稱的四季花，并常以整朵花卉作盤、盒的造型和裝飾，刻法嚴謹，有永樂、宣德時期的渾厚，又不失嘉靖、萬曆時期的纖巧細膩。新出現魚、龍、海獸等在波濤之中嬉戲翻滾的圖案，山水人物圖案也有新的成就。剔彩器有傳統的分層髹塗的"橫色"法，也使用第三階段出現的"局部加色"的"竪色"法，并將它應用到主題紋飾，同時加以創新，即用單色漆髹塗好層次後，剔出花紋輪廓，然後將所需漆色填入輪廓中，再刻花紋細部。

雕漆外亦加以鑲嵌，鑲嵌的原料有各類金屬、竹木牙角、玻璃、珐琅、珠寶、螺鈿等，無所不備。其中的玉石鑲嵌將玉按要求雕琢打磨之後，再嵌于雕漆器的器表，使玉器、漆器這兩種清中期最突出的工藝達到完美結合。

第五階段，即清嘉慶至宣統年間（公元1796–1911年），漆器工藝漸入低潮，惟有揚州盧葵生的百寶嵌水平較高，頻出精品。

陳振裕

中國古代家具概要

中國家具藝術歷史悠久。在距今4000多年前的山西陶寺龍山文化遺址中，就發現了放置陶斝、木豆等飲食器的低矮木案。案面塗紅彩，周圍繪出了3-5厘米寬的白色邊框，旁邊還發現放有石刀的木俎。這些發現表明當時已開始使用簡單的木質家具了。隨着生產力的發展，到商周時期，已知道用青銅和漆來製造家具。商代墓葬出土的六足三眼銅禁和十字紋銅俎，製作精美，不但可以盛放器物，還可在下面燒火加溫。日常使用的坐具，除茵席外，還有床几和案。床，在漢代以前，含意較廣，不僅坐臥具稱床，其它還有梳洗床、火爐床、筆床、墨床等。臥具床指睡眠用的床，坐具床是供一人坐用的小平臺，也叫"榻"或"枰"。几、案是坐時依憑或進食的器具，常和優待老人的禮節聯繫在一起。《周禮·春官·司几筵》規定，"司几筵"主管五種几案、五種席墊的名稱品質，辨別它們的用途及陳設的位置。凡是大的朝觀會見，大型宴享和射儀，分封國邑、策命諸侯的時候，王的位前設置絳色底、白黑花紋的屏風，屏風前邊朝南爲王鋪設筵席，左右安設嵌有玉石的几。祭祀先王和王受酢的席位也要這樣陳設。諸侯祭祀的席，先鋪綉有方格花紋的蒲席，上面再鋪上白色莞席，右側安放雕刻花紋的几。獻酒的酢席，以白邊莞席作底，上鋪綉雲氣的藻席。爲國賓在窗前鋪設的筵席也同樣。左側設彤几（紅色漆几），君王四時田獵，則使用熊皮製成的熊席。右側放漆几（漆几，即黑色漆几）。凡有喪事祭奠設葦席，右側設素几（白色几）。遇吉慶喜事時，改用有漆飾的几案。這説明几案的使用在商周時期，有着極嚴格的等級觀念。

戰國至三國時期，人們還保留着席地坐臥的習俗，使用的仍是低型家具，但工藝水平遠遠高于前代，這時期以中山王墓出土的錯金銅方案、錯金銀獸形屏風座和曾侯乙墓出土的漆几、漆案、衣箱，還有長臺關出土的彩漆木床、雕花漆几、漆案等最爲突出。

漢代的案，形體逐漸加大。有的重叠四五層案，用以陳設器物。案有方、有圓，主要用于進食。床的使用已擴大到日常起居和接見賓客。使用時，床上置几，左右及身後有折叠屏風圍護。東漢末期，西北民族的可折叠胡床傳入中原，流行于宮廷和貴族之間，常用于戰争和狩獵，還未在民間普遍使用。

兩晋南北朝時期，是中國歷史上空前的民族大融合時期，漢代以前的禮俗和人們的生活習慣發生了很大變化，傳統家具也有了很大發展。如睡眠用的床開始加高，床上裝圍子，床頂裝架，床的下部以壺門作裝飾。人們既可以盤足坐在床上，又可以垂足坐于床沿。廳堂内供坐的榻，尺寸也加高加大，榻上配備供倚靠用的長几、隱囊或半圓形憑几。這時期，由東漢末年傳入的胡床逐漸普及到民間，同時還發展了椅子、方凳、圓凳、束腰形圓凳等高型坐具，對人們起居習慣和室内空間的處理產生了極大的影響，成爲唐代以後逐步摒弃席地起居習慣的前奏。在當時的石窟、彩畫、壁畫、墓葬明器等形象資料中，充分反映了這一點。

隋唐五代時期，尤其是唐代，由于經濟的發展，一度形成盛世局面，手工藝的發展促進了家具業的發展，嵌鈿、髹漆等各項裝飾工藝，已進一步運用到家具上。南北朝時期流行的壺門裝飾，到唐五代時期逐漸演變成簡單的馬蹄兒和托泥。在起居形式方面，垂足坐的習慣也由上層貴族逐漸普及到民間。與高坐垂足相適應的高型桌案在唐代也開始增多。在唐代名畫家盧楞枷《六尊者像》中，有精緻的束腰長桌、翹頭案，還有鑲金墜玉的大椅。在五代《韓熙載夜宴圖》中，表現出各式扶手椅、坐墩、屏風、長桌和"凹"字形平面的大床。五代《重屏會棋圖》和王齊翰《勘書圖》中的三折屏風，屏前有大床和大案等，從畫面中人物的比例看，屏風形體高大，成爲人們起居活動和家具布置的重要背景。這説明當時人們在處理室内空間和家具的合理配置上已有一定的理論和概念。也可看出，後代各種家具類型，在唐、五代之間已基本具備簡潔、樸素、大方的風格特點。

歷史前進到宋代，垂足坐的起居方式和適應這種方式的高型家具，從東漢末年開始，經過兩晋南北朝和隋唐五代歷時近千年的演化過渡，終于改變商周以來流行的席地跪坐的起居習慣及其有關家具。從宋代繪畫和墓葬中所反映的家具看，各類高型家具在民間已十分普遍。在張擇端《清明上河圖》中所描繪的市肆小店及平民家中，無不陳放各式家具。在近年發掘的宋代墓葬中，也有相當數量的宋代家具出土，有的還在墓室墙壁上用磚砌成各式家具或彩繪墓主人使用家具的場面，足見家具在人們生活中的地位和人們喜愛家具的程度。宋代家具在空前普及的同時還衍化出很多新品種，如圓形和方形的高几、琴桌和床上使用的小炕桌等。

宋代家具使用了各種裝飾手法，如束腰、馬蹄、蹼足、雲頭足、蓮花托等，結構部件使用了夾頭榫牙板、牙頭、羅鍋根、矮老、霸王根、托泥等。山西洪洞縣廣勝寺水神廟宋元壁畫《賣魚圖》中的方桌，使用了兩層羅鍋根，從畫面描繪的桌腿看，整個桌腿做出四、五道葫蘆肚，這種造型，極有可能是用鏇具加工而成。如果推測合理，説明中國至遲在宋元時期已開始用鏇具加工家具部件了。宋代有了專用的琴桌，宋徽宗的《聽琴圖》中描繪的尤爲形象。桌體不大，僅容一琴，桌面下四面圍板，有花紋作裝飾。依畫面推測，下面應有底板及孔眼，形成音箱，與琴聲產生共鳴，提高音色效果。

從宋代帝后像中描繪的椅子看，在宮廷裏，統治階級不惜工本製了一批高檔家具。從形象看，用料粗壯，儘管裝飾華麗，仍不能算是完美的家具。但我們也不能一概而論，河北巨鹿出土的宋代桌子、椅子，俊俏挺拔，可謂較爲完美的代表作品，體現了宋代家具的藝術水平。

宋代是家具事業空前繁榮時期，就目前所見資料及出土文物看，品種齊全、形式多樣，不僅後世種類都已具備，同時還殘留着前代憑几、懶架等。這類低型家具到明代已基本淘汰。宋代還發明了燕几（即宴几）并有《燕几圖》一書。燕几，由七件拼合而成，有一定的比例規格。它的特點是多爲組合陳設，根據需要，可多可少，可大可小，可長可方，可單設可拼合，運用自如。書中介紹燕几説："其几大小凡七，長短廣狹不齊。設之必方。或二、或三、或四、或五、或六、七，布置皆如法。居士謂視夫賓客多寡，杯盤豐約，以爲廣狹之則。爲二十體，變四十名。又增廣七十有六，燕衍之餘，無施不可。斯亦智者之變也。"

遼、金與兩宋同時并存，家具藝術也發展較快。如内蒙古巴林右旗遼墓出土的木桌，桌腿削出曲邊，兩條橫棖上裝曲邊矮柱與腿共同支撐桌面。内蒙古解放營子出土的遼代木床，床上裝圍欄，四角有雕飾的柱頭，面下不用四足，而用長方底座，正面裝飾八個桃形圖案，内塗朱紅色。遼寧朝陽金墓壁畫上的方桌，腿間裝橫棖，上飾兩組雙矮老，腿的兩側及足端，裝飾着雲紋翅。山西岩上寺金代壁畫《酒樓市肆圖》中還描繪着交叉腿的折叠桌。山西大同金墓出土成套諸如桌、椅、床、几之屬。遼、金與宋儘管所處地域不同，但在家具造型和結構方面與宋朝有着很多相通之處，都較前代有很大變化。突出表現爲梁柱式的框架結構代替了隋唐以前沿用的箱式壺門結構，并大量應用了裝飾性的綫脚。

元代立國時間較短，政治、經濟、文化基本沿襲漢制，家具藝術上，除承襲宋代原有形式外，祇有山西文水元墓壁畫上的抽屜桌是新出現的品種。

家具藝術發展到明代，已發展爲科學性、藝術性及實用性相結合的優秀生活用具，不但爲國人所珍視，在世界家具體系中也獨樹一幟，享有盛名，被譽爲東方藝術的一顆明珠。在當時生產、經濟發展的歷史條件下，經過匠師們總結和綜合歷代經驗、智慧并加以發明創造，形成了代表民族文化傳統的"明式家具"。

明式家具作爲一項藝術成就，它的形成和發展是與當時社會環境和歷史背景分不開的。首先，宋代家具事業的繁榮爲明式家具的形成奠定了基礎。没有宋代家具事業的繁榮和發展，就不可能出現完美、精湛的明式家具；對于明式家具來説，則是在宋元家具藝術發展的基礎上揚長避短，去粗存精，使家具事業進入科學化的階段。

明代時，總結各種工藝技術經驗的專門書籍也多了起來。明代黃成所著的《髹飾錄》一書，全面論述了漆工的歷史、工藝、分類和特點等，這些工藝在明代漆器家具上都有所體現。該書是一部研究漆工史的重要著作，直到現在仍有重要的研究和借鑒價值。

木製家具方面的專著，當推明代北京提督工部御匠司司正午榮彙編的《魯班經匠家經》（簡稱《魯班經》）。書中分建築和家具兩部分。其中家具部分對各類家具作了詳盡的分類，如椅凳類、桌案類、床榻類、箱櫃類、臺架類、屏座類等。每一類中又分別敘述不同形式，如床榻類中有大床、禪床、凉床、藤床等；桌案類中有一字桌、案桌、摺桌、圓桌、琴桌、棋桌、方桌等。其它如選材、卯榫結構、家具尺寸、裝飾花紋及綫脚等都作了詳細的規定和記述。《魯班經》一書是建築的營造法式和家具製造的經驗總結，它的問世，對明式家具的發展和風格的形成起了重大的推動作用。其它還有明代文震亨編著的《長物志》，對各類家具一一作了具體分析和研究，對家具的用材、製作、式樣分別給予優劣、雅俗的評價。高濂的《遵生八箋》還把家具製作與養生學結合起來，提出獨到的見解。這些書籍的出現，豐富了家具製作理論，對指導家具設計、製作和生產都起到一定的推動作用。

明代隆慶、萬曆時期，政府開放海禁，私人可以出洋經商，給海外貿易的發展創造了有利條件。東南亞各國盛產的各種香料及珍貴木材，源源進入中國。各國派使臣赴中國朝貢（勘合貿易），所帶貨物中都有少量的珍貴木材。這些情況，在明代黃省曾《西洋朝貢典錄》、張燮《東西洋考》和近代陳壽彭《南洋與東南洋群島志略》等書中，均有詳細記載。這些產于熱帶的木材具有質地堅硬、強度高、色澤和紋理優美的特點，因而在製作家具時可采用較小的構件斷面，製作精密的榫卯，并進行細緻的雕飾與綫脚加工。在這個物質前提下，再加上當時手工藝的進步，使得明式家具在造型藝術上有了不少新創造。

明代前期，由于農業和手工業的高度發達、商業經濟的繁榮，使得城市建設也得到很大發展。官府和官僚地主、富商大賈競相建造豪華的府第和園林、住宅，以滿足他們的生活需要。這些園林、住宅，規模宏大，裝修精麗，有的甚至多達千餘間，使得明朝政府不得不制定嚴格的住宅等級制度加以限制。儘管如此，仍有不少達官、富商和大地主不遵守政府規定，爲了滿足他們物質和精神上的享受，爲顯示各自的富有，役使大批奴僕，加上賓客來往衆多，都需要有大量的房屋和活動場所，需要有不同用途的實用建築和觀賞建築，并根據不同使用要求配備大批與之相適應的家具。這些家具的類型和樣式除滿足生活起居的需要之外，也和建築有了更緊密的聯繫。在廳堂、卧室、書齋中，都有幾種特定的家具陳設，出現了成堂配套的組合家具概念。在建造房屋時，還常常根據建築物的進深、開間和使用要求，設計家具的種類、式樣、尺度等。住宅和園林的發展，必然對家具事業的發展起到相應的促進作用。

明式家具除了在結構上使用了複雜的榫卯外，造型藝術也達到了很高的成就。這突出表現爲家具的比例、尺寸與人體各部的協調，充分滿足了人們的生活需要，集藝術性、科學性、實用性于一身。

明式家具的風格特點主要表現在以下幾個方面：

造型穩重、大方，比例尺寸合度，輪廓簡練舒展。

結構科學，榫卯精密。

精于選料配料，重視木材本身的自然紋理和色彩。

雕刻及綫脚裝飾處理得當。

金屬飾件式樣玲瓏，色澤柔和。

明式家具的造型及各部比例尺寸基本與人體各部的結構特徵相適應。如椅凳坐面高度在40-50厘米之間，大體與人的小腿高度相符合。大型坐具，因形體比例關係，坐面較高，但必須有脚踏配合，人坐在上面，雙脚踏在脚凳上，桌面高度基本與人的胸部齊平。雙手可以自然地平鋪于桌面，或讀書寫字，或揮筆作畫。兩端桌腿之間，必須留有一定空隙，桌牙也要控制在一定高度，以便人腿向裏伸屈，使身體貼近桌面。椅背大多依據人的脊背的自然特點設計成"S"形曲綫，且與坐面保持100-105度的背傾角。坐面多用藤席。由于藤席富有彈性，在承受壓力時自然下垂，形成3-5度的座傾角，這正是人體保持放鬆姿態的自然角度。其它如座寬、座深、扶手的高低及長短等，都與人體各部的比例相適合，有着嚴格的尺寸要求。

明式家具造型的突出特點是側脚收分明顯，在視覺上給人以穩重感。一件長條凳，四條腿各向四角的方向叉出。從正面看，形如飛奔的馬，俗稱"跑馬叉"；從側面看，兩腿也向外叉出，形如人騎馬時兩腿叉開的樣子，俗稱"騎馬叉"；每條腿無論從正面還是側面都向外叉出，又統稱"四劈八叉"。這種情況在圓材家具中尤爲突出。方材家具也都有這些特點，但叉度略小。有的憑眼力可辨，有的則不明顯，要用尺子量一下才能分辨。

明式家具輪廓簡練舒展，是指其構件簡單，每一個構件都功能明確。分析起來都有一定意義，沒有多餘的造作之舉。簡練、舒展的格調，收到了樸素、文雅的藝術效果。

明式家具的又一特點是材質優良。它多數用黃花梨、紫檀、鐵梨木、鷄翅木、欅木、楠木等珍貴木材製成。這些木材硬度高，木性穩定，可以加工出較小的構件，并做出精密的榫卯，做出的成器，都异常堅實牢固。

明代匠師們還十分注意家具的色彩效果，一般不施加雕刻。在製作家具時，精心選料配料，儘量把木質紋理整齊美麗的部位用在表面或正面明顯位置。不經過深思熟慮，決不輕易下手。因此，優美的造型、木材本身獨具的天然紋理和色澤，給明式家具增添了無窮的藝術魅力。

明式家具分兩種藝術風格，簡練型和濃華型。簡練型所占比重較大。簡練型家具以綫脚爲主。如把腿設計成弧形，俗稱"弧腿彭牙"、"三彎腿"、"仙鶴腿"、"螞蚱腿"等等。有的像方瓶，有的像花尊，有的像花鼓，有的像官帽。在各部構件的棱角或表面上，常裝飾各種花樣的綫條，如：腿面略呈弧形的稱"素混面"；腿面一側起綫的稱"混面單邊綫"；兩側起綫，中間呈弧形的稱"混面雙邊綫"；腿面凹進呈弧形的稱"打窪"。還有一種仿竹藤做法的裝飾手法，是把腿的表面做出兩個或兩個以上的圓形體，好像把幾根圓木拼在一起，故稱"劈料"。通常以四劈料作法較多，因其形似芝麻的秸秆，又稱"芝麻梗"。綫脚的作用不僅增添了器身的美感，同時把鋒利的棱角處理得圓潤、柔和，收到渾然天成的效果。

濃華型家具與簡練型不同，它們大多都有精美繁縟的雕刻花紋或用小構件攢接成大面積的櫺門和圍子等，屬于裝飾性較強的類型。濃華的效果是雕刻雖多，但做工極精，攢接雖繁，但極富規律性，整體效果氣韵生動，有着豪華、絢麗的富貴氣象，讓人百看不厭，而沒有絲毫繁瑣的感覺。

明式家具常用金屬作輔助構件，以增强使用功能和保護功能。由于這些金屬飾件大都有着各自的藝術造型，因而又是一種獨特的裝飾手法，不僅對家具起到進一步的加固作用，同時也爲家具增色生輝。

明式家具金屬飾件，早期多用白銅製成，晚期多用黃銅，進入清初，則多用紅銅鍍金。這些光彩奪目的金屬飾件裝飾在黃花梨、紫檀、鷄翅木等色調柔和，木質紋理優美的家具上，形成不同色彩、不同質感的強烈對比。可見，明代匠師們在處理結構與裝飾、裝飾與實用的關係上，藝術手法和藝術理論都是相當成熟的。

明代家具品種大體分爲床榻、椅凳、桌案、箱櫃、臺架、屏風幾大類。

床榻類

床榻類分架子床和羅漢床兩種。架子床分兩式，一種在床面四角立柱，上面裝頂架，左右及後面裝床圍子。也有在正面多裝兩根立柱，另裝門圍子與角柱相連，正中留出上床的門户。明代架子床床圍多用小木作榫攢成各式幾何紋櫺子板，有的在正面做出橢圓形月洞門。

架子床中還有一種稱爲"撥步床"的，其造型奇特，好像在架子床的下面加上一個平臺。平臺前沿長過床沿二三尺，平臺四角立柱，與架子床融爲一體，四邊裝木製欄杆，床前形成一個廊子。在這個小廊子當中，有的在兩側及正面安上門窗，裏面陳放小型桌凳。冬季寒冷，可放炭盆及馬桶等；夏季炎熱，卸去門窗即可挂床帳。這種床多在南方使用，近年在蘇州、上海等地明代墓葬中多有出土。

羅漢床，又名"彌勒榻"，是由漢代的榻逐漸演變而來的。榻，本來指專門的坐具，經過唐、五代及宋元的發展，形體逐漸加大，明代普遍在左右及後面裝上圍欄。以黃色的色調，優美的木紋，素雅的造型，體現出高超的藝術匠心和神韵。明時羅漢床通常設在廳堂用以待客，使用時正中放一炕桌，上陳茗瓶茶具，主客各坐一邊，作用相當于現代的沙發和茶几。較大的羅漢床，既可供坐，又可供卧。一般情況下，放在卧室供卧的稱床，放在廳堂待客的則應稱爲榻，是一種十分講究的家具。

椅凳類

明時椅子的形制很多，名稱也很多，究其形式不外以下幾種。

交椅。交椅即漢末北方傳入的胡床。形制爲前後兩腿交叉，交接點作軸，上橫梁穿繩代坐，坐面之上安裝靠背及弧形椅圈，遂名交椅。

交椅在室內陳設中，等級較高，一般祇供男主人與貴客使用，婦女和下等人常坐一般圓凳。交椅可以折叠，既可以在室內使用，還可外出時携帶。在宋、元及明代的繪畫中，常有官員或富户外出巡游并携帶這種椅子的描繪。

圈椅。圈椅的椅圈和交椅圈完全相同，交椅以面下特點命名，而圈椅是以面上特點命名。圈椅的坐面采用普通方凳形式，在室內陳設中位置相對穩定。明代多把圈椅稱爲"太師椅"，是居室中等級較高的家具。

官帽椅。官帽椅是依其造型酷似古代官員的帽子而得名，又分南官帽椅和四出頭式官帽椅。南官帽椅的造型特點是在椅背立柱與搭腦的銜接處做出軟圓角。作法是將立柱作榫頭，搭腦兩端的接合面作榫窩，俗稱"挖烟袋鍋"，將搭腦橫壓在立柱上。椅面兩側的扶手也采用相同作法。正中靠背板用厚材開出"S"形，它是依據人體脊椎的自然曲綫設計而成的。這種椅型在南方使用較多，多爲黃花梨木製，且大多用圓材，給人以圓渾、優美的感覺。

四出頭式官帽椅的椅背搭腦和扶手拐角處不是做成軟圓角，而是搭腦和扶手在通過立柱後，繼續向前探出。盡端微向外撇，并磨成光潤的圓頭。除此之外，其它均與南官帽椅相同。

玫瑰式椅。玫瑰椅實際上是南官帽椅的一種，它的椅背很低，與扶手高度相差無幾。在室內臨窗陳設，椅背不高過窗臺，配合桌案使用又不高過桌沿。由于這些與衆不同的特點，使不十分實用的玫瑰椅倍受人們喜愛，并廣爲流行。玫瑰椅的名稱在北京匠師們的口語中流行較廣，南方無此名，而稱這種椅子爲“文椅”。玫瑰椅及文椅，目前還未見史書記載，祇有《魯班經》一書中有“瑰子式椅”的條目，但是否指玫瑰椅，還不能確定。

靠背椅。是指光有後背而沒有扶手的椅子，有一統碑式和燈挂式兩種。一統碑式的椅背搭腦與南官帽椅相同；燈挂式椅的靠背與四出頭式官帽椅相同，因其橫梁長出兩側立柱，又微向上翹，猶如挑燈的燈杆，因此名其爲“燈挂椅”。這種椅型較官帽椅略小，特點是輕巧靈活，使用方便。

杌凳和繡墩。杌凳和繡墩都是不帶靠背的坐具。明式杌凳大體可分爲方、長方和圓形幾種。杌和凳是同類器物，沒有截然不同的定義。

杌凳又分有束腰和無束腰兩種形式。有束腰的都用方材，很少用圓材。而無束腰杌凳用材上方材、圓材都有。有束腰者可用曲腿，如弧腿彭牙方凳，而無束腰者都用直腿。有束腰者足端都做出內翻或外翻馬蹄兒，而無束腰者腿足無論是方是圓，足端都很少作裝飾。

長凳有長方和長條兩種，有的長方凳長和寬之比差距不大，一般統稱方凳。長寬之比在2:1到3:1左右，可供二人或三人同坐的多稱爲“春凳”，有時還可作炕桌使用，是一種既可供坐又可以放物的兩用家具。條凳坐面細長，可供二人并坐。腿足與牙板用夾頭榫結構。一張八仙桌，四面各放一長條凳，是城市鋪店、茶館中常見的使用模式。

明代圓凳造型敦實凝重，三足、四足、五足、六足均有，以帶束腰的占多數。三腿者大多無束腰，四腿以上多數有束腰。圓凳與方凳的不同之處在于方凳因受角的限制，面下都用四足，而圓凳不受角限制，最少三足，最多可達八足。

繡墩也是一種無靠背坐具。它的特點是面下不用腿足，而采用攢鼓的作法，形成兩端小、中間大的腰鼓形，上下兩邊各雕弦紋一道和象徵固定鼓皮的乳釘。爲便于提携，在中間開出四個海棠式魚門洞。因其造型似鼓，而名其爲“花鼓墩”。

繡墩除木製外，還有草編、竹藤編和彩漆、雕漆等形式，陳設廳堂，絢麗多彩。

桌、案類（附香几、炕桌、炕几）

桌子大體可分爲有束腰和無束腰兩類。有束腰家具是在面下裝飾一道縮進面沿的綫條，又分高束腰和低束腰。低束腰的牙板下一般還要安羅鍋根或霸王根，否則須在足下裝托泥，起額外加固作用。高束腰家具面下裝矮老，分爲數格，四角露出四腿的上節，與矮老融爲一體。矮老間裝縧環板，下裝托腮。縧環板板心浮雕各種圖案或鏤空花紋。高束腰不僅是一種裝飾手法，更重要的是拉大了牙板與桌面的距離，有效地固定了四足，因而牙板下不必再有過多的輔助構件。有束腰桌子無論低束腰還是高束腰，它們的四足都削出內翻或外翻馬蹄兒，有的還在腿的中部雕出雲紋翅，這已成爲有束腰家具的一個基本特徵。

案的造型有別于桌子，突出表現爲案的腿足不在面沿四角，而在案面兩側向裏縮進一些的位置上。案面兩端有翹頭和平頭兩種形式。兩側腿間大都鑲有雕刻各種圖案的板心或各式圈口。案足有兩種作法，一種是案足不直接接地，而是落在長條形托泥上；另一種不帶托泥，腿足直接接地并微向外撇。案腿上端開出夾頭榫或插肩榫，前後各用一塊通長的牙板把兩側案腿貫通起來，共同支撐着桌面。兩側的案腿都有明顯的叉脚。

還有一種形式與案稍有不同的家具。其兩側腿足下不帶托泥，也無圈口及雕花擋板，而是在兩側腿間平裝橫根兩道。這類家具，如果案面帶翹頭，人們習慣把較大的稱爲案，較小的則稱爲桌兒。其實，嚴格説來還應稱案，因其造型和結構上具備案的特點較多。王世襄先生經過多年研究，歸納出腿足在板面四角的屬“桌形結體”，四足不在板面四角而在兩端縮進一些位置的稱“案形結體”。

香几是專門用來置爐焚香的家具，一般成組或成對，個別也可單獨使用，佛堂中有時五個一組用于陳放五供。古代書室中常置香几，用于陳設美石、花尊，或單置一爐焚香。形制多爲三彎腿，整體外觀似花瓶。

炕桌、炕案、炕几屬低型家具，因多在炕上和床榻上使用，故都冠以“炕”字，屬于床榻類的附屬家具。通常在床榻正中放一炕桌，兩邊坐人，作用相當于現代的茶几。

櫥、櫃類

櫥、櫃類，是居室中用于存放衣物的家具。除了櫥、櫃外，還有箱子、架格等也歸屬在此類中。

櫥的形體與桌案相仿，有案形和桌形兩種。面下裝抽屜，二屜稱連二櫥，三屜稱連三櫥，有的還在抽屜下加悶倉。櫥的上平面保持了桌案的形式，但在使用功能上較桌案發展了一步。

櫃是指正面開門，內中裝屜板，可存放多件物品的家具，門上有銅飾件，可以上鎖。

橱櫃是將橱和櫃兩種功能結合在一起的家具，即在橱的下面裝上櫃門，具有橱、櫃、桌案三種功能。也分桌形和案形兩種，案形中又分平頭和翹頭兩種形式。

頂竪櫃是明代較常見的一種形式，由底櫃和頂箱組成。一般成對陳設，又稱四件櫃。這種櫃因有時并排陳設，爲避免兩櫃中間出現縫隙，因而做成方正垂直的櫃架。

圓角櫃即一種四框和腿足用一根木料做成的櫃。四框的外角打圓，足部隨形做成圓脚，因而圓角櫃又可稱作圓脚櫃。圓角櫃的側角收分明顯。對開兩門，板心通常以紋理美觀的整塊板鑲成。兩門中間有活動立栓，配置條形面葉，北京人俗稱"面條櫃"。這類櫃子兩門與櫃子之間不用合頁，而采用門軸作法。

書格即存放書籍的架格。正面大多不裝門，祇在每層屉板的兩端和後沿裝上低矮的欄板，目的是把書擋齊。正面中間裝抽屉兩具，是爲加强整體框架的牢固性，同時也增加了使用功能。

亮格櫃是集櫃、橱、格三種形式于一器的家具，下層對開兩門，内裝擋板分爲上下兩層。櫃門之上平設抽屉兩至三枚，再上爲一層或兩層空格，正面和兩側裝倒挂牙子。格板前沿及兩側裝一道矮欄。下部存放什物，上部陳放幾件古器，可使居室生輝添彩。

用于存貯什物的還有箱子。一般形體不大，多用于外出時携帶，兩邊裝提環。由于搬動較多，極易損壞，爲達到堅固目的，各邊及棱角拼縫處常用銅葉包裹。正面裝銅質面葉和如意雲紋拍子、鈕頭等，可以上鎖。

箱類中還有一種稱"官皮箱"的，也是一種外出旅行用的存貯用具。其形體較小，打開箱蓋，内有活屜。正面對開兩門，門内設抽屉數枚。櫃門上沿有仔口，關上櫃門、蓋好箱蓋，即可將四面板墻全部固定起來。兩側有提環，正面有鎖匙，是明式家具中特有的品種。因古代男人都留長髮，尤其是官員外出，每日均需梳洗，這類官皮箱或用于存放梳洗用具，或用于存放文房書寫用具。因官員使用較多，故名"官皮箱"。

屏風類

明代屏風大體可分爲座屏風和曲屏風兩種。座屏風又分多扇和獨扇。多扇座屏風分三、五、七、九扇不等，共同點是屏扇都用單數，每扇用活榫聯接。獨扇屏又稱插屏，屏座正中鑲餘塞板，下部裝披水牙。兩條立柱前後有站牙抵夾，兩立柱裏口挖槽兒，將屏框對準凹槽插下去落在橫梁上，屏框便與屏座連爲一體。這類屏風有大有小，大者可以擋門，小者可以擺在案頭用以裝飾居室。

曲屏風屬活動性家具，每扇之間或裝鈎鈕或裱綾絹，可以隨意折合，用時打開，不用時折合收貯起來。其特點是輕巧靈便。基于上述原因，這類屏風多用較輕質的木料作邊框，屏心用紙、絹裱糊，并彩繪或刺綉各式圖畫等，有的用大漆髹飾，上面雕刻各式圖畫，做工手法多種多樣。由于紙絹難以流傳至今，傳世作品極難見到。

臺架類

此類項目較雜，無法列入以上五類的均歸這一類，包括衣架、盆架、燈臺、鏡臺、梳妝臺等。

衣架，即懸挂衣服的架子。一般設在寢室，外用少見。古人衣架與現代常用衣架不同，其式多取橫杆式。兩側有立柱，下有墩子木底座。兩柱間有橫梁，中鑲中牌子。頂上有長出兩柱的橫梁，盡端圓雕龍頭、靈芝、捲草等。古人多穿長袍，衣服脫下後就搭在橫梁上。

盆架分高低兩種，高面盆架是盆架靠後的兩根柱通過盆沿向上加高，上裝橫梁及中牌子，可以在上面挂面巾。另一種是不帶巾架，幾根立柱不高出盆沿。兩種都是明代較爲流行的樣式。

燈臺和燈架。燈臺屬坐燈類，常見爲插屏式，較窄較高，上橫框有孔，有立柱穿其間，立柱底部與一活動橫木相連，可以上下活動。立柱頂端有木盤，用以座燈。爲防止燈火被風吹滅，燈盤外都要有用牛角製成的燈罩。

梳妝臺，又名鏡支。形體較小，多擺放在桌案之上。其式如小方匣，正面對開兩門，門內裝抽屜數枚，面上四面裝圍欄，前方留出豁口，後側欄板內，豎三至五扇小屏風。邊扇前攏，正中擺放銅鏡。不用時，可將銅鏡收起，小屏風也可以隨時卸下放倒。它和官皮箱一樣，是明代常見的家具形式。

明代除木製家具外，還有相當數量的漆器家具。

中國漆器工藝歷史悠久，殷商遺址中多次發現有描繪及雕嵌的漆器殘件。在此之前，肯定還要經歷一個發展的過程。這説明，遠在原始社會末期，我們的祖先就已認識并使用漆來塗飾日用器物。塗漆既保護了器物，又收到美化裝飾效果。幾千年來，經過歷代勞動人民的發展創新，到明清時期，漆工藝術已發展到十四個門類、八十多個不同品種。這時期能工巧匠輩出，且有大批傳世實物，在明清家具的品類中，是不可忽視的一個方面。

明清時期的漆家具大體有如下品種：

1、單色漆家具，又稱素漆家具，即以一色漆油飾的家具。常見有黑、紅、紫、黃、綠、褐諸色，以黑漆、朱紅漆、紫漆最多。黑漆又名玄社、烏漆。黑色本是漆的本色，故古代有"凡漆不言色者皆黑"的說法。因此純黑色的漆器是漆工藝中最基本的作法，其它顏色皆是經過調配加工而成。

製作漆家具的作法，首先以較輕質的木料做成骨架（這是因為軟木易着漆，硬木不易着漆），然後塗生漆一道，趁其未乾，糊麻布一層，用壓子壓實，使下面生漆從麻布孔透過來。乾後，上漆灰膩子，一般兩到三遍，分粗灰、細灰，每次都須打磨平整。再上所需色漆數遍，最後上道透明漆，即為成器。其它各類漆家具均在素漆家具的基礎上加工的。

2、雕漆家具，是在素漆家具上反復上漆，少則六七十層，多則一百餘層。每次待半乾或六、七成乾時油下一層。油完後，在表面描上畫稿，以雕刻手法裝飾所需花紋，然後陰乾，使漆變硬。雕漆又名"剔漆"，有紅、黃、綠、黑幾種。以紅色最多，又名"剔紅"。

3、黑漆描金家具，即在黑素漆家具上用半透明漆調彩漆，在漆地上描畫花紋，然後放入溫濕室，等漆乾時，在花紋上打金膠，用細棉球着最細的金粉貼在花紋上。這種作法又稱為"黑漆裏描金"。黑色的漆地與金色的花紋相襯托，形成絢麗華貴的氣派。

4、罩金漆家具，是在漆家具上通體貼金，然後在金漆上面罩一層透明漆。罩金漆又名"罩金"，故宮太和殿金漆龍紋寶座即是罩金漆家具的典型實例。

5、堆灰家具。"堆灰"又名"堆起"，是在素漆家具表面用漆灰堆成各式花紋，然後加以雕刻，再經過髹飾或描金等。以此種工藝製作的家具名曰"堆灰家具"，其髹飾、描金程序又稱"隱起描金"或"描漆"。其特點是花紋隆起，高低錯落，有如浮雕。故宮藏黑漆龍紋櫃即是實例。

6、填漆戧金家具。填漆和戧金是兩種不同的漆工藝手法。填漆，即填彩漆，是先在做好的素漆地上用刀尖或針刻出低陷的花紋，然後把所需的色漆填進花紋，待乾固後，再打磨一遍，使紋地分明，花紋與漆地齊平。戧金、戧銀的作法大體與填漆相似，也是先在素漆地上用針或刀尖劃出纖細的花紋，然後在低陷的花紋內打金膠，再把金箔粘着進去，形成金色花紋。它與填漆的不同之處是花紋不是與漆地齊平，而是仍保持陰紋劃迹。故宮博物院收藏有一件明代小琴桌，采用的就是填漆和戧金兩種手法，故稱其為"填漆戧金小琴桌"。

7、刻灰家具。刻灰又名"大雕填"，一般以黑漆作地，描畫花紋。輪廓以內的漆地用刀挖去，保留花紋輪廓。刻挖的深度一般至漆灰為止，故名"刻灰"，然後在低陷的花紋內根據紋飾需要填以不同顏色的油、彩或金、銀等。特點是花紋低于輪廓平面，在感覺上，類似木刻板畫。在明代，這種工藝較為常見，傳世實物較多，小至箱匣，大至多達十二扇的圍屏。在明清兩代，這類器物在山西、陝西一帶使用較多，其中又以山西居多，俗稱"晋作"。

8、黑漆嵌螺鈿家具。螺鈿分厚螺鈿和薄螺鈿。厚螺鈿又稱硬螺鈿，其工藝是按素漆家具工序製作，在上第二道漆灰之前將螺鈿片按花紋要求磨製成形，用漆粘在灰地上，乾後，再上漆灰（要一遍比一遍細），使灰面與花紋齊平，漆灰乾後略有收縮，再上大漆數道，漆乾後，還須打磨，把花紋磨顯出來，再在螺鈿片上施以必要的毛雕，以增加紋飾效果，即為成器。

黑漆嵌薄螺鈿家具。薄螺鈿又稱軟螺鈿，是取極薄的貝殼片作鑲嵌物。常見薄螺鈿如同現今使用的新聞紙薄厚，因其薄故無大塊。加工時在素漆最後一道漆灰之上粘貼花紋，然後上漆填滿地子，再經打磨顯出花紋。在粘貼花紋時，匠師們還根據花紋要求，區分殼色，隨類賦彩，因而收到五彩繽紛的效果。

9、灑嵌金、銀、螺鈿沙家具。是在上最後一遍漆時，趁漆未乾，將金箔、銀碎末或螺鈿碎屑散在漆地上，并使其粘着牢固，乾後掃去表面浮屑，打磨平滑即成。有絢麗華貴的特點。

10、綜合工藝。明代漆器家具除上述單一工藝作品外，還有綜合幾種工藝于一器的代表作。典型實例如黑漆嵌螺鈿、描金、平脱銀片龍紋箱子，在明代傳世實物中，是個少有的例子。

明式家具的風格特點通常用"精、巧、簡、雅"四字來形容。這種風格一直延續到清代初期，因此，判別明代及清前期家具，多以此為標準。

精，即選材精良，製作精湛。明式家具的用料多采用紫檀、黃花梨、鐵梨木這些質地堅硬、紋理細密、色澤深沉的名貴木材。在工藝上，采用卯榫結構，合理連接，使家具堅實牢固，經久不變。由于紫檀、黃花梨、鐵梨木生長緩慢，經明代的大量采伐使用，這些材料日見匱乏，到了明末清初，這些木材已十分難覓。所以，清以後家具在用料上發生根本變化。鑒定和辨別是否是明代家具，用料的審鑒是至關重要的。

巧，即製作精巧，設計巧妙。明代家具的造型結構，十分重視與廳堂建築相配套，家具本身的整體配置也主次井然，十分和諧。使用者坐在上面感到舒適，躺在上面感到安逸，陳列在廳堂裏有裝飾環境、填補空間的巧妙作用。

簡，即是造型簡練，綫條流暢。明式家具的造型雖式樣紛呈，常有變化，但有一個基點，即是簡練。有人把它比作八大山人的畫，簡潔、明瞭、概括。幾根綫條和組合造型，給人以静而美、簡而穩、疏朗而空靈的藝術效果。

雅，即是風格清新，素雅端莊。雅，是一種文化，即是"書卷氣"。雅是一種美的境界。明代文士崇尚"雅"，達官貴人和富商們也附庸"雅"。由於明代很多居住在蘇州的文人、畫家們直接參與造園藝術和家具的設計製作，工匠們也迎合文人們的雅趣，所以，形成了明式家具"雅"的品性。雅在家具上的體現，即是造型上的簡練，裝飾上的樸素，色澤上的清新自然，而無矯揉造作之弊。

總之，明式家具以做工精巧、造型優美、風格典雅著稱，現代家具中仍有仿明式家具出現，而且受到人們的偏愛。

清代家具種類大體沿襲明代，但在造型藝術及風格上有些差異。清式家具的特點首先表現在用材厚重上，家具的總體尺寸較明式寬大，相應的局部尺寸也隨之加大。其次是裝飾華麗，表現法主要是鑲嵌、雕刻及彩繪等，給人的感覺是穩重、精緻、豪華、艷麗，和明式家具的樸素大方、優美舒適形成鮮明的對比。清式家具和明式家具相比，自然不如明式家具那樣有很高的科學性，但仍有許多獨到之處。它不像明式家具那樣以樸素、大方、優美、舒適為標準，而是以厚重、繁華、富麗堂皇為標準，因而顯得厚重有餘，俊秀不足，給人沉悶笨重之感，也缺乏應有的科學性。但從另一方面說，由於清式家具以富麗、豪華、穩重、威嚴為準則，為達到設計目的，利用各種手段，采用多種材料、多種形式，巧妙地裝飾在家具上，效果也很成功。所以，清式家具仍不失為中國家具藝術中的優秀作品。

清代，家具的主要產地有廣州、蘇州、北京，其中以廣州最為著名。這三地所產的家具被譽為清代家具的三大名作。

1、廣式家具

明末清初時期，由於西方傳教士的大量來華，傳播了一些先進的科學技術，促進了中國經濟、文化藝術的繁榮。廣州由於它特定的地理位置，便成為中國對外貿易和文化交流的重要門戶。隨着對外貿易的進一步發展，各種手工藝行業如象牙雕刻、磁器燒造、景泰藍等也都隨之恢復和發展起來。加之廣東又是貴重木材的主要產地，南洋各國的優質木材也多由廣州進口，製作家具的材料比較充裕。這些得天獨厚的有利條件，賦予廣式家具獨特的藝術風格。

廣式家具的特點之一是用料粗大充裕。廣式家具的腿足、立柱等主要構件不論彎曲度有多大，一般不使用拼接方法，而習慣用一木挖成，其它部位也大體如此，所以廣式家具大都比較粗壯。廣式家具為講求木性一致，大多用一種木料做成。通常所見的廣式家具，或紫檀，或紅木，皆為清一色的同一木質，決不摻雜別種木材。而且廣式家具不加漆飾，使木質完全裸露，讓人一看便有實實在在、一目瞭然之感。

廣式家具的特點之二，是裝飾花紋雕刻深峻、刀法圓熟、磨工精細。它的雕刻風格，在一定程度上受西方建築雕刻的影響，雕刻花紋隆起較高，個別部位近乎圓雕。加上磨工精細，使紋飾表面瑩滑如玉，絲毫不露刀鑿的痕迹。

　　廣式家具的裝飾題材和紋飾，也受西方文化藝術的影響。明末清初之際，西方的建築、雕刻、繪畫等技術逐漸爲中國所應用，自清代雍正至乾隆、嘉慶時期，模仿西式建築的風氣大盛。除廣州外，其他地區也有這種現象。如在北京西苑一帶興建的圓明園，其中就有不少建築，從形式到室內的裝修，無一不是西洋風格。爲裝修這些殿堂，清廷每年除從廣州定做、采辦大批家具外，還從廣州挑選優秀工匠到皇宮，爲皇家製作與這些建築風格相協調的中西結合式家具。即以中國傳統作法做成器物後，再用雕刻、鑲嵌等工藝手法飾以西洋式花紋。這種西式花紋，通常形似牡丹，也有稱爲西番蓮的。其綫條流暢，變化多樣，可以根據不同器形而隨意伸展枝條。它的特點是多以一朵或幾朵花爲中心，向四外伸展，且大都上下左右對稱。如果裝飾在圓形器物上，其枝葉多作循環式，各面紋飾銜接巧妙，很難分辨首尾。

　　廣式家具除裝飾西式紋飾以外，也有相當數量的傳統紋飾。如各種形式的海水雲龍、海水江牙、雲紋、鳳紋、夔紋、蝠、磬、纏枝或折枝花卉，以及各種花邊裝飾等。有的廣式家具中西兩種紋飾兼而有之，也有些廣式家具乍看都是中國傳統花紋，但細看起來，或多或少地總帶有西式痕迹，爲我們鑒定是否是廣式家具提供了依據。當然，我們不能憑這一點一滴的痕迹就下結論，還要從用材、做工、造型等方面綜合考慮。

　　2、蘇式家具

　　蘇式家具，是指以蘇州爲中心的長江下游一帶所生產的家具。蘇式家具形成較早，舉世聞名的明式家具即以蘇式家具爲主。它以造型優美、綫條流暢、用料和結構合理、比例尺寸合度等特點和樸素、大方的格調博得了世人的贊賞。進入清代以後，隨着社會風氣的變化，蘇式家具也開始向繁瑣和華而不實的方面轉變。這裏所講的蘇式家具，主要指清代而言。蘇式家具爲了節省材料，製作桌子、椅子、凳子等家具時，還常在暗處摻雜其它柴雜木。這種情況，多表現在器物裏面穿帶的用料上。現存傳世蘇式家具，十之八九都有這種現象，而且明清兩代的蘇式家具都是如此。蘇式家具都在裏側油漆，目的在于使穿帶避免受潮，保持木料不變形，同時也有遮醜的作用。

　　總之，蘇式家具在用料方面和廣式家具風格截然不同，蘇式家具以俊秀著稱，用料較廣式家具要少得多。由于硬質木料來之不易，蘇作工匠往往惜木如金，在製作每一件家具前，要對每一塊木料進行反復觀察、衡量，精打細算，儘可能把木質紋理整潔美觀的部位用在表面上。不經過深思熟慮，決不輕易動手。

蘇式家具的鑲嵌和雕刻主要表現在箱櫃和屏聯上。以普通箱具爲例，通常以硬木做成框架，當中起槽鑲一塊松木或杉木板，然後按漆工工序做成素漆面，漆面陰乾後，開始裝飾，先在漆面上描出畫稿，再按圖案形式用刀挖槽，將事先按圖做好的各種質地的嵌件鑲進槽內，用膠粘牢，即爲成品。蘇式家具中的各種鑲嵌也大多用小塊材料堆嵌，整板大面積雕刻成器的不多。常見的鑲嵌材料多爲玉石、象牙、螺鈿和各種顏色的彩石，也有相當數量的木雕。在各種木雕中又以鷄翅木居多數。蘇式家具鑲嵌手法的主要優點是可以充分利用材料，哪怕祇有黃豆大小的玉石碎渣或螺鈿沙屑，都不會廢弃。

蘇州家具的裝飾題材多取自歷代名人畫稿，以松、竹、梅花、山石、花鳥、山水風景以及各種神話傳説爲主，其次是傳統紋飾如海水雲龍、海水江牙、龍戲珠、龍鳳呈祥等。折枝花卉亦很普遍，大多借其諧音寓意一句吉祥語。局部裝飾花紋多以纏枝蓮和纏枝牡丹爲主，西洋花紋極爲少見。一般情況下，是蘇式的纏枝蓮還是廣式的西番蓮，已成爲區別蘇式和廣式的一個特徵。

3、京作家具

京作家具一般以清宮造辦處所作家具爲主。造辦處有單獨的廣木作，由廣東徵選優秀工匠充任，所製器物較多的體現着廣式風格。由于木材多由廣州運來，一車木料，輾轉數月才能運到北京，沿途人力、物力、花費開銷之巨自不必説。皇帝本人也深知這一點，因此，造辦處在製作某一件器物前，都必須先畫樣呈覽，經皇帝批準後，方可成作。在一些御批中經常記載着這樣的事，皇帝看了後覺得某部分用料過大，及時批示將某部分收小些。久而久之，形成京作家具較廣作用料小的特點。在造辦處普通木作中，多由江南廣大地區選招工匠，作工趨向蘇式。不同的是他們在清宮造辦處製作的家具較江南地區用料稍大，而且摻假的情況也不多。

從紋飾上看，京作家具較其它地區又獨具風格。它從皇宮收藏的古代銅器和石刻藝術上汲取素材，巧妙地裝飾在家具上。在紋飾的載體和樣式上，清代在明代的基礎上又發展得更加廣泛。明代多限于裝飾翹頭案的牙板和案足間的鑲板，清代則在桌案、椅凳、箱櫃上普遍應用。明代多雕刻螭虎龍（北京匠師多稱其爲拐子龍或草龍），而清代則是夔龍、夔鳳、拐子紋、螭紋、虬紋、蟠紋、饕餮紋、獸面紋、雷紋、蟬紋、勾捲紋等無所不有。根據家具的不同造型特點，而施以各種不同形態的紋飾，顯示出各式古色古香、文静典雅的藝術形象。

總的説來，清式家具是繼承了歷代的工藝傳統，并有所發展的。清代匠師們使用各種手段、各種材料，想盡各種辦法，都是爲了達到他們預想的華麗、穩重的目的。因而，清代家具在裝飾手法上多種材料的應用，多種工藝的結合，構成它自己獨具的特點和風格。它和明式家具一起，以其不同時代、不同特點，代表着中華民族燦爛悠久的藝術和文化傳統，在國際市場上亦占有重要位置。清代中後期，由于帝國主義的侵略和統治階級的腐敗，農民起義風起雲涌，國内戰亂頻繁，人民流離失所，國民經濟遭到極大的破壞，民族手工業等各項傳統文化藝術也隨之衰落下去。清末皇宫也曾製作過一批家具，遺憾的是再也找不到技藝高超的匠師了。這時期生產的家具大多製作粗俗，雕刻臃腫，造型呆板，毫無藝術性可言，沒有研究和借鑒的價值。它們是帝國主義侵略造成的惡果，不能代表清代優秀家具，更不能與清式家具相提并論。

目　　錄

漆　器

新石器時代至西周（公元前八〇〇〇年至公元前七七一年）

春秋戰國（公元前七七〇年至公元前二二一年）

秦（公元前二二一年至公元前二〇七年）

頁碼	名稱	時代	發現地	收藏地
115	三鳳紋盒	西漢	湖南長沙市馬王堆1號墓	湖南省博物館
115	雲氣紋盒	西漢	湖南長沙市望城坡古墳垸漢墓	湖南省長沙市文物考古研究所
116	雲氣紋盒	西漢	湖南長沙市望城坡古墳垸漢墓	湖南省長沙市文物考古研究所
116	雲氣紋盒	西漢	安徽潛山縣彭嶺28號墓	安徽省文物考古研究所
117	雲氣紋有柄圓盒	西漢	安徽天長市城南鄉三角圩漢墓	安徽省天長市博物館
117	朱雀紋盒	西漢	江蘇寶應縣天平鄉前走馬墩漢墓	江蘇省寶應縣博物館
118	錐畫耳杯盒	西漢	安徽天長市城南鄉三角圩漢墓	安徽省天長市博物館
118	嵌金雲紋梳箆盒	西漢	山東日照市海曲漢墓	山東省文物考古研究所
119	銀扣薄金片飾圓盒	西漢	江蘇揚州市邗江區楊廟鄉倉頡村漢墓	江蘇省揚州市邗江區文物管理委員會
119	雲氣紋圓盒	西漢	安徽天長市安樂鄉漢墓	安徽省天長市博物館
120	變形鳥紋雙耳長盒	西漢	湖北雲夢縣睡虎地47號墓	湖北省博物館
120	雲氣紋具杯盒	西漢	湖南長沙市馬王堆3號墓	湖南省博物館
121	"蕃禺"雲氣紋盒蓋	西漢	廣東廣州市西村石頭崗漢墓	廣東省廣州博物館
121	薄金片飾圓盒	西漢	江蘇揚州市邗江區甘泉鄉姚莊101號墓	江蘇省揚州博物館
122	銀扣貼金馬蹄形盒	西漢	安徽天長市城南鄉三角圩漢墓	安徽省天長市博物館
122	雲紋梳箆盒	西漢	山東日照市海曲漢墓	山東省文物考古研究所
123	怪神嬉鬥紋盒蓋	西漢	安徽天長市城南鄉三角圩漢墓	安徽省天長市博物館
123	雲氣紋長方形盒	西漢	山東日照市海曲漢墓	山東省文物考古研究所
124	銀扣嵌瑪瑙珠長方形盒	西漢	江蘇連雲港市海州區網疃莊漢墓	南京博物院
124	銀扣貼金箔雲虡紋盒	西漢	江蘇揚州市邗江區楊廟鄉倉頡村漢墓	江蘇省揚州市邗江區文物管理委員會
125	獸形盒	西漢	山東萊西市岱野村點將臺2號墓	山東省烟臺市博物館
125	鴨嘴盒	西漢	安徽天長市安樂鄉漢墓	安徽省博物館
126	魚形盒	西漢	山東日照市海曲漢墓	山東省文物考古研究所
126	雲氣紋筒	西漢	江蘇揚州市邗江區甘泉鄉姚莊101號墓	江蘇省揚州博物館
127	雲氣紋筒	西漢	江蘇揚州市西湖鄉胡場17號漢墓	江蘇省揚州博物館
127	"鮑一筒"筒	西漢	江蘇揚州市西湖鄉胡場1號漢墓	江蘇省揚州博物館
128	雲氣走獸紋筒	西漢	江蘇揚州市西湖鄉胡場20號漢墓	江蘇省揚州博物館
128	雲氣瑞獸紋三足樽	西漢	江蘇揚州市西湖鄉胡場漢墓	江蘇省揚州博物館
129	雙龍紋樽	西漢	湖北雲夢縣睡虎地47號墓	湖北省博物館
129	錐畫"漆布小卮"	西漢	湖南長沙市馬王堆1號墓	湖南省博物館
130	雲氣紋"七升"卮	西漢	湖南長沙市馬王堆3號墓	湖南省博物館
130	"二升"卮	西漢	湖南長沙市馬王堆3號墓	湖南省博物館

頁碼	名稱	時代	發現地	收藏地
146	銅扣碗	西漢	安徽天長市安樂鄉漢墓	安徽省天長市博物館
147	立鶴銜草紋匜	西漢	湖北江陵縣鳳凰山167號墓	湖北省荆州博物館
148	雲氣魚鶴紋匜	西漢	江蘇揚州市邗江區楊廟鄉王廟村漢墓	江蘇省揚州市邗江區文物管理委員會
148	雲氣紋匜	西漢	湖南長沙市馬王堆1號墓	湖南省博物館
149	錐畫篦點紋杯	西漢	江蘇揚州市西湖鄉胡場15號漢墓	江蘇省揚州博物館
149	變形鳥紋耳杯	西漢	湖北江陵縣毛家園1號墓	湖北省博物館
150	變形鳥紋耳杯	西漢	湖北江陵縣毛家園1號墓	湖北省博物館
150	三魚紋耳杯	西漢	湖北江陵縣毛家園1號墓	湖北省博物館
151	三魚紋耳杯	西漢	湖北江陵縣鳳凰山168號墓	湖北省荆州博物館
151	鳥雲紋耳杯	西漢	湖北江陵縣鳳凰山167號墓	湖北省荆州博物館
152	草葉紋耳杯	西漢	湖北雲夢縣睡虎地47號墓	湖北省博物館
152	雲紋耳杯	西漢	湖北雲夢縣睡虎地47號墓	湖北省博物館
153	魚紋耳杯	西漢	湖北荆州市沙市區周家臺35號墓	湖北省荆州市沙市博物館
153	耳杯	西漢	湖北雲夢縣大墳頭1號墓	湖北省博物館
154	"君幸酒"四升耳杯	西漢	湖南長沙市馬王堆1號墓	湖南省博物館
154	"長沙王后家"耳杯	西漢	湖南長沙市馬王堆漢墓	中國國家博物館
155	龍紋"君幸酒"耳杯	西漢	湖南長沙市馬王堆1號墓	湖南省博物館
155	鳳鳥紋"漁陽"耳杯	西漢	湖南長沙市望城坡古墳垸漢墓	湖南省長沙市文物考古研究所
156	"莒盎"耳杯	西漢	山東臨沂市金雀山31號漢墓	山東省臨沂市博物館
156	鳳鳥紋"黃氏"耳杯	西漢	安徽霍山縣迎駕廠漢墓	安徽省霍山縣博物館
157	鳳鳥紋耳杯	西漢	湖北江陵縣高臺28號漢墓	湖北省荆州博物館
157	雲氣紋耳杯	西漢	湖北江陵縣高臺28號漢墓	湖北省荆州博物館
158	錐畫雲氣紋耳杯	西漢	江蘇揚州市維揚區西湖鄉蜀崗村漢墓	江蘇省揚州博物館
158	變形鳥紋耳杯	西漢	安徽巢湖市放王崗呂柯墓	安徽省巢湖市文物管理所
159	"米"字耳杯	西漢	山東蒼山縣向城馬前塘溝村漢墓	山東省蒼山縣文物管理所
159	夔紋耳杯	西漢	江蘇揚州市邗江區甘泉鄉姚莊漢墓	江蘇省揚州博物館
160	夔紋耳杯	西漢	江蘇揚州市邗江區甘泉鄉姚莊漢墓	江蘇省揚州博物館
160	塗金銅扣耳杯	西漢	江蘇揚州市邗江區甘泉鄉姚灣村秦莊漢墓	江蘇省揚州市邗江區文物管理委員會
161	塗金花紋耳杯	西漢	江蘇揚州市邗江區甘泉鄉六里村左莊漢墓	江蘇省揚州市邗江區文物管理委員會
161	龍鳳紋耳杯	西漢	江蘇連雲港市海州區西漢侍其繇墓	南京博物院
162	同心圓紋耳杯	西漢	江蘇儀徵市龍河鄉張集漢墓	南京博物院

頁碼	名稱	時代	發現地	收藏地
162	銅座耳杯	西漢	江蘇儀徵市龍河鄉雙壇村漢墓	南京博物院
163	"陳抵卿第一"耳杯	西漢	安徽天長市安樂鄉漢墓	安徽省博物館
163	雲氣紋耳杯	西漢	安徽天長市安樂鄉漢墓	安徽省博物館
164	"惡"字耳杯	西漢	廣東廣州市東山猫兒崗漢墓	廣東省廣州市文物考古研究所
164	雲紋盂	西漢	湖北江陵縣毛家園1號墓	湖北省博物館
165	點紋盂	西漢	湖南長沙市馬王堆1號墓	湖南省博物館
165	雲氣紋盂	西漢	江蘇揚州市邗江區甘泉鄉姚灣村秦莊漢墓	江蘇省揚州市邗江區文物管理委員會
166	雲氣鉢	西漢	江蘇揚州市西湖鄉胡場20號漢墓	江蘇省揚州博物館
166	素面盤	西漢	湖北雲夢縣大墳頭1號墓	湖北省博物館
167	雲紋盤	西漢	湖北江陵縣毛家園1號墓	湖北省博物館
167	變形鳥紋盤	西漢	湖北江陵縣毛家園1號墓	湖北省博物館
168	雲氣紋平盤	西漢	湖北江陵縣鳳凰山167號墓	湖北省荊州博物館
168	變形鳥紋圓盤	西漢	湖北荊州市沙市區肖家草場26號墓	湖北省荊州市沙市博物館
169	雲龍紋盤	西漢	湖南長沙市馬王堆1號墓	湖南省博物館
169	"君幸食"盤	西漢	湖南長沙市馬王堆1號墓	湖南省博物館
170	雲氣鳥頭紋盤	西漢	湖南長沙市望城坡古墳垸漢墓	湖南省長沙市文物考古研究所
170	對鳥紋盤	西漢	山東臨沂市金雀山10號墓	山東省臨沂市博物館
171	雲氣紋盤	西漢	湖北江陵縣高臺28號漢墓	湖北省荊州博物館
171	龍鳳紋盤	西漢	湖北江陵縣高臺漢墓	湖北省荊州博物館
172	雲氣紋平盤	西漢	湖北江陵縣高臺2號漢墓	湖北省荊州博物館
172	雲氣紋盤	西漢	江蘇揚州市邗江區楊廟鄉楊廟村漢墓	江蘇省揚州市邗江區文物管理委員會
173	龍紋盤	西漢	安徽天長市城南鄉三角圩漢墓	安徽省天長市博物館
173	"丙"字盤	西漢	安徽天長市漢墓	安徽省博物館
174	幾何紋盤	西漢	江蘇揚州市西湖鄉胡場漢墓	江蘇省揚州博物館
174	"大官"鎏金銅扣盤	西漢	江蘇鹽城市三羊墩西漢墓	南京博物院
175	雲鳥紋方平盤	西漢	湖北江陵縣鳳凰山168號墓	湖北省荊州博物館
175	二龍戲珠紋盆	西漢	廣西貴港市羅泊灣1號漢墓	廣西壯族自治區博物館
176	雲紋盆	西漢	安徽天長市安樂鄉漢墓	安徽省天長市博物館
176	雲紋鉳	西漢	湖南長沙市馬王堆3號墓	湖南省博物館
177	朱雀紋勺	西漢	山東臨沂市金雀山13號漢墓	山東省臨沂市博物館
177	鳳形勺	西漢	湖北雲夢縣睡虎地47號墓	湖北省博物館
178	雲氣紋銀扣口鴨形勺	西漢	江西揚州市西湖鄉胡場15號漢墓	江蘇省揚州博物館

10

頁碼	名稱	時代	發現地	收藏地
178	銀扣鴨形勺	西漢	江蘇揚州市西湖鄉胡場14號漢墓	江蘇省揚州博物館
179	鳥頭柄勺	西漢	安徽天長市安樂鄉漢墓	安徽省博物館
179	龍首柄勺	西漢	山東日照市海曲漢墓	山東省文物考古研究所
180	針刻填朱鳳鳥紋勺	西漢	江蘇揚州市西湖鄉胡場1號漢墓	江蘇省揚州博物館
180	竹節形筒	西漢	廣西貴港市羅泊灣1號漢墓	廣西壯族自治區博物館
181	雲獸紋枕	西漢	江蘇揚州市西湖鄉胡場20號漢墓	江蘇省揚州博物館
181	雲虡紋枕	西漢	江蘇揚州市邗江區甘泉鄉姚莊102號漢墓	江蘇省揚州博物館
182	虎子	西漢	安徽天長市城南鄉三角圩漢墓	安徽省天長市博物館
182	虎子	西漢	江蘇揚州市西湖鄉胡場15號漢墓	江蘇省揚州博物館
183	雲紋食案	西漢	湖南長沙市馬王堆1號墓	湖南省博物館
183	雲紋案	西漢	湖南長沙市馬王堆1號墓	湖南省博物館
184	雲氣紋案	西漢	安徽潛山縣彭嶺16號墓	安徽省文物考古研究所
184	鳳鳥紋案	西漢	安徽巢湖市放王崗呂柯墓	安徽省巢湖市文物管理所
185	屏風	西漢	湖南長沙市馬王堆1號墓	湖南省博物館
186	琴	西漢	湖南長沙市馬王堆3號墓	湖南省博物館
186	神人紋龜盾	西漢	湖北江陵縣鳳凰山8號墓	湖北省荊州博物館
187	兵器架	西漢	湖南長沙市馬王堆3號墓	湖南省博物館
187	矢和矢箙	西漢	湖南長沙市馬王堆3號墓	湖南省博物館
188	升仙紋紅地棺	西漢	湖南長沙市馬王堆1號墓	湖南省博物館
194	雲氣神獸黑地棺	西漢	湖南長沙市馬王堆1號墓	湖南省博物館
197	博具	西漢	湖南長沙市馬王堆3號墓	湖南省博物館
197	石硯盒	西漢	山東臨沂市金雀山漢墓	中國國家博物館
198	雲氣鬥獸紋硯	西漢	江蘇揚州市西湖鄉胡場15號漢墓	江蘇省揚州博物館
198	雲氣紋薄銀片飾砂硯	西漢	江蘇揚州市邗江區甘泉鄉姚莊漢墓	江蘇省揚州博物館
199	尹氏斗	西漢	湖北江陵縣高臺28號漢墓	湖北省荊州博物館
199	漆纚紗冠	西漢	湖南長沙市馬王堆3號墓	湖南省博物館
200	雲氣鳥獸人物紋面罩	西漢	江蘇揚州市平山雷塘26號漢墓	江蘇省揚州市文物考古隊
201	雲氣鳥獸人物紋面罩	西漢	江蘇揚州市邗江區黃玨鄉漢墓	江蘇省揚州博物館
201	方格紋璧	西漢	廣東廣州市東山猫兒崗漢墓	廣東省廣州市文物考古研究所
202	套盒	東漢	廣東廣州市先烈路龍生崗漢墓	廣東省廣州博物館
202	銅扣獸紋盂	東漢	甘肅武威市磨嘴子4號漢墓	甘肅省博物館
203	木柲銅戈	東漢	雲南昆明市羊甫頭墓地113號墓	雲南省文物考古研究所
203	木杖頭	東漢	雲南昆明市羊甫頭墓地	雲南省文物考古研究所
204	鷹爪形木祖	東漢	雲南昆明市羊甫頭墓地	雲南省文物考古研究所

頁碼	名稱	時代	發現地	收藏地
204	豬頭形木祖	東漢	雲南昆明市羊甫頭113號墓	雲南省文物考古研究所
205	弦紋葫蘆	東漢	甘肅武威市景寨漢墓	甘肅省武威市博物館
205	雲氣紋箧	東漢	新疆洛浦縣山普拉5號墓	新疆維吾爾自治區博物館

三國兩晋南北朝（公元二二○年至公元五八九年）

頁碼	名稱	時代	發現地	收藏地
206	錐刻戧金盒蓋	三國・吳	安徽馬鞍山市三國吳朱然墓	安徽省馬鞍山市博物館
207	人物扁形壺殘片	三國・吳	安徽馬鞍山市三國吳朱然墓	安徽省馬鞍山市博物館
207	武帝生活圖圓盤	三國・吳	安徽馬鞍山市三國吳朱然墓	安徽省馬鞍山市博物館
208	貴族生活圖盤	三國・吳	安徽馬鞍山市三國吳朱然墓	安徽省馬鞍山市博物館
209	季札挂劍圖盤	三國・吳	安徽馬鞍山市三國吳朱然墓	安徽省馬鞍山市博物館
210	童子對棍圖盤	三國・吳	安徽馬鞍山市三國吳朱然墓	安徽省馬鞍山市博物館
210	鳥獸魚紋槅	三國・吳	安徽馬鞍山市三國吳朱然墓	安徽省馬鞍山市博物館
211	宮闈宴樂圖案	三國・吳	安徽馬鞍山市三國吳朱然墓	安徽省馬鞍山市博物館
213	"吳氏"槅	西晋	江西南昌市晋墓	江西省博物館
213	耳杯	東晋	江西南昌市火車站東晋紀年墓	江西省南昌市博物館
214	出行圖奩	東晋	江西南昌市火車站東晋紀年墓	江西省南昌市博物館
215	宴樂圖盤	東晋	江西南昌市火車站	江西省南昌市博物館
216	瑞獸雲氣紋攢盒	東晋	江西南昌市火車站東晋紀年墓	江西省南昌市博物館
216	托盤	東晋	江西南昌市火車站5號墓	江西省南昌市博物館
217	人物故事圖屏風	北魏	山西大同市北魏司馬金龍墓	山西省大同市博物館
218	彩繪棺殘片	北魏	寧夏固原市北魏墓	寧夏回族自治區固原博物館
220	彩繪棺殘片	北魏	山西大同市湖東北魏1號墓	山西省大同市考古研究所

唐五代十國（公元六一八年至公元九六○年）

頁碼	名稱	時代	發現地	收藏地
221	銀平脱八角菱花鏡盒	唐		日本奈良正倉院
222	銀平脱鳥首壺	唐		日本奈良正倉院

頁碼	名稱	時代	發現地	收藏地
223	金銀平脱 "季春" 琴	唐		日本奈良正倉院
225	"大聖遺音" 琴	唐		故宮博物院
225	"九霄環佩" 琴	唐		中國國家博物院
226	嵌螺鈿紫檀五弦琵琶	唐		日本奈良正倉院
227	嵌螺鈿紫檀阮咸	唐		日本奈良正倉院
228	金銀平脱羽人飛鳳花鳥紋漆衣銅鏡	唐		中國國家博物館
228	金銀平脱鏤金絲鸞銜綬帶紋漆衣銅境	唐	陝西西安市東郊長樂坡村	陝西歷史博物館
229	金銀平脱天馬鸞鳳紋漆衣銅鏡	唐		陝西歷史博物館
229	銀平脱舞禽花樹狩獸神仙紋漆衣銅鏡	唐		上海博物館
230	銀平脱寶相花紋漆衣銅鏡	唐	陝西西安市長安區	中國國家博物館
230	嵌螺鈿雲龍紋漆衣銅鏡	唐	河南陝縣後川唐墓	中國國家博物館
231	嵌螺鈿人物花鳥紋漆衣銅鏡	唐	河南洛陽市	中國國家博物館
231	八棱形奩	五代十國	江蘇連雲港市玉帶河工地	南京博物院
232	銀平脱花卉紋鏡盒	五代十國	江蘇常州市五代墓	江蘇省常州博物館
232	花鳥紋嵌螺鈿經箱	五代十國	江蘇蘇州市瑞光塔	江蘇省蘇州博物館
233	嵌螺鈿說法圖經函	五代十國	浙江湖州市飛英塔塔壁內	浙江省湖州市飛英塔文物保管所

遼北宋金南宋（公元九一六年至公元一二七九年）

頁碼	名稱	時代	發現地	收藏地
234	雙陸	遼	遼寧法庫縣葉茂臺遼墓	遼寧省博物館
234	雙陸骰盆	遼	遼寧法庫縣葉茂臺遼墓	遼寧省博物館
235	龍首勺	遼	遼寧法庫縣葉茂臺遼墓	遼寧省博物館
235	雲鳳紋弓囊	遼	內蒙古奈曼旗遼陳國公主墓	內蒙古文物考古研究所
236	花首曲柄舌形匙	遼	河北張家口市宣化區張世本墓	河北省張家口市宣化區文物保管所
236	圓頭竹節式箸	遼	河北張家口市宣化區張世本墓	河北省張家口市宣化區文物保管所
237	缽	北宋	湖北監利縣福田宋墓	湖北省荊州博物館
237	海棠式碗	北宋	湖北監利縣福田宋墓	湖北省荊州博物館
238	花瓣形碗	北宋	江蘇常州市新體育場工地	江蘇省常州博物館

漆 器

碗

河姆渡文化
浙江餘姚市河姆渡遺址出土。
高5.7厘米。
木胎，挖製，呈瓜棱形。壁外塗
有一層薄薄的朱漆，微見光澤。
此器是迄今中國發現最早的漆器
之一。
現藏浙江省博物館。

纏藤篾木筒

河姆渡文化
浙江餘姚市河姆渡遺址出土。
長32.6、直徑9.4厘米。
由整木挖製并輔以斵製成型。器壁厚薄均勻，錯磨光
潔，斷面略呈橢圓形。外壁兩端纏有數道藤篾類圈箍。
器外塗有一層較薄的朱漆。
現藏浙江省博物館。

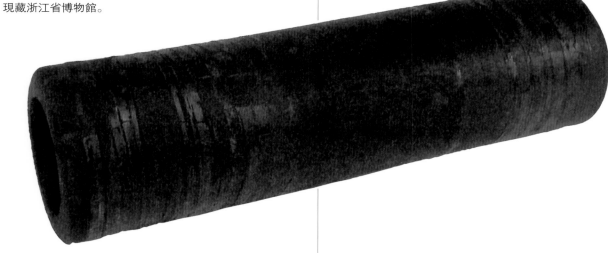

新石器時代至西周（公元前八〇〇〇年至公元前七七一年）

嵌玉高柄杯

良渚文化

浙江杭州市餘杭區瑶山遺址出土。

高29厘米。

漆膜呈朱紅色。器敞口，圓筒形，下接細而高的喇叭形圈足。器外壁下部鑲嵌玉珠兩周。此器是中國已知最早的嵌玉漆器。

現藏浙江省文物考古研究所。

漆繪陶胎杯

良渚文化

江蘇吳江市梅堰鎮袁家埭遺址出土。

高13、口徑6厘米。

泥質薄胎灰陶體，黑色陶衣。器外壁有一道寬寬的彩帶，爲棕紅色漆繪製。

現藏南京博物院。

幾何紋尊

良渚文化

江蘇吳江市梅堰鎮袁家埭遺址出土。

高8.6、口徑6.1厘米。

黑陶胎。敞口、直頸、溜肩，腹內收作葫蘆形，口部對稱兩小鏤孔用于繫繩。先在器表髹飾一層稀薄的棕色漆，再在其上用較厚的金黃、棕紅兩色漆于頸部和腹部分別描繪弦紋和幾何紋。

現藏南京博物院。

高柄豆

龍山文化

山西襄汾縣陶寺遺址出土。

高50厘米。

木胎，豆形。器表塗赭紅色漆，其上隱約可見白色花紋。

現藏中國社會科學院考古研究所。

木雕漆痕

商

河南安陽市侯家莊西北崗出土。

長18、寬17厘米。

此爲一件朱漆木雕的遺痕，據漆痕推斷原係一件木質容器的蓋部。

現藏南京博物院。

木雕漆痕

商

河南安陽市侯家莊西北崗出土。

長112.8、寬41.3厘米。

漆痕爲朱色，顏色鮮亮，似一虎形花紋，細部由雷紋組成。

現藏南京博物院。

纏絲綫柲

商

湖北陽新縣白沙遺址商代文化層出土。

殘長14、最寬3.7厘米。

由木胎斲製成型。通體髹黑漆，以絲綫構成細密的方格雲雷紋圖案。

現藏湖北省文物考古研究所。

纏絲綫柲

商

河南羅山縣天湖12號商墓出土。

殘長16.5、直徑2.9厘米。

木胎，斲製。兩端邊緣橫繞二十一道絲綫，中間部分爲凸起的五層絲綫構成的方格雲雷紋圖案。通體髹黑漆。

現藏河南省信陽市文物管理委員會。

彩繪貼金嵌綠松石觚

西周

北京房山區琉璃河遺址1043號墓出土。

高28.3厘米。

木胎。通體以朱漆爲地，施褐彩，并以薄金片、綠松石嵌飾。

現藏中國社會科學院考古研究所。

獸面鳳鳥紋嵌螺鈿罍

西周

北京房山區琉璃河遺址1043號墓出土。

高54.1厘米。

木胎。通體以朱漆爲地，施褐彩，花紋由蚌片鑲嵌和彩繪組成。此器形體高大，裝飾繁縟，鑲嵌螺鈿工藝純熟。

現藏中國社會科學院考古研究所。

勾連紋方壺

春秋

湖北當陽市趙巷4號墓出土。

高46.5厘米。

木胎。方口，長頸，腹微鼓，凹底，肩部有對稱獸耳，耳上浮雕變形牛頭。器表黑漆地，用紅、黃漆彩繪雲雷紋、捲雲紋、三角紋、勾連紋等圖案。

現藏湖北省宜昌博物館。

雲雷紋長方形盤

春秋

陝西鳳翔縣秦公1號墓出土。

木胎。器內髹朱漆，外髹黑漆，并以朱漆繪花紋。

現藏陝西省考古研究院。

波紋豆

春秋

湖北當陽市趙巷4號墓出土。
高14.5、口徑13.4厘米。
木胎。器内髹朱漆，餘皆髹黑
漆，并以朱、黄漆繪花紋。
現藏湖北省宜昌博物館。

波紋豆

春秋

湖北當陽市趙巷4號墓出土。
高14.5、口徑13.8厘米。
木胎。器内髹朱漆，餘皆髹黑
漆，并以朱、黄漆繪波紋、捲雲
紋、變形竊曲紋及點紋等紋樣。
現藏湖北省宜昌博物館。

竊曲紋簋

春秋

湖北當陽市趙巷4號墓出土。

高21厘米。

木胎。由蓋與器身兩部分組成，飾牛形耳。器內髹朱漆，外髹黑漆，并以朱、黃漆繪竊曲紋、水波紋、三角紋等紋樣。

現藏湖北省宜昌博物館。

蛋形罐

春秋

山東海陽市嘴子前4號墓出土。

通高31.9、最大腹徑21厘米。

木胎。蓋頂中部有一獸頭狀小鈕，口沿兩側有對稱的獸形貫耳。通體髹黑漆，口沿與蓋沿有銀灰色紋帶。

現藏山東省海陽市博物館。

春秋戰國（公元前七七〇年至公元前二二一年）

雲紋瓚

春秋

湖北當陽市趙巷4號墓出土。

高7.5、通長24.6厘米。

木胎。形似斗勺，曲形把，下有圈足。斗內髹朱漆，外髹黑漆，并用朱漆在把上繪雲紋等紋樣。

現藏湖北省宜昌博物館。

彩繪木篦

春秋

山東海陽市嘴子前4號墓出土。

木胎，斲製。通體髹褐漆，并以朱漆在柄部繪花紋。

現藏山東省海陽市博物館。

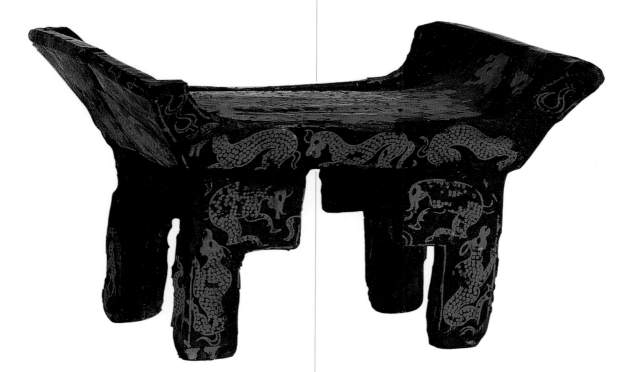

禽獸紋俎

春秋

湖北當陽市趙巷4號墓出土。

長24.5、寬19、高14.5厘米。

木胎。俎面與四足爲榫卯結構。俎面髹朱漆，餘皆髹黑漆，并用朱漆繪十二組二十四隻瑞獸和八隻珍禽。

現藏湖北省宜昌博物館。

龍鳳紋瑟殘片

春秋

湖北當陽市曹家崗5號墓出土。

長210、寬38厘米。

木胎。在朱漆地上彩繪龍鳳紋及裝飾性的勾連雷紋等紋樣。

現藏湖北省宜昌博物館。

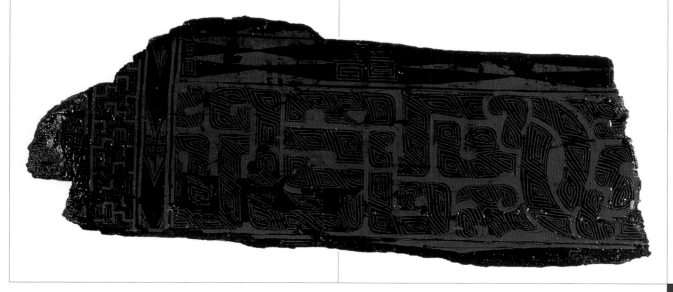

漆器殘片

春秋

陝西鳳翔縣秦公1號墓出土。

木胎。殘片上髹黑漆，用紅漆繪雲雷紋等圖案。

現藏陝西省考古研究院。

木雕臥馬

春秋

陝西鳳翔縣秦公1號墓出土。

木胎，雕製。通體髹黑漆。

現藏陝西省考古研究院。

鎮墓獸

春秋

湖北當陽市曹家崗5號墓出土。

高60.3厘米。

木胎，雕製。獸頭臉圓鼓，臉部周邊有框。座側面飾銹色捲雲紋圖案。

現藏湖北省宜昌博物館。

鳥雲紋豆

戰國

湖北江陵縣紀城1號墓出土。

高21.6厘米。

木胎。由盤、柄、座三部分榫接而成。豆盤底刻有"×"符號，柄座底則刻有"卜"符號。

現藏湖北省文物考古研究所。

[漆 器]

春秋戰國（公元前七七〇年至公元前二二一年）

龍鳳紋豆
戰國
湖北荆州市天星觀2號墓出土。
高24.4厘米。
外壁髹黑漆，盤內壁髹紅漆。盤外壁飾浮雕二龍四鳳，以一龍二鳳爲一組對稱分布于盤上，一鳳抓龍身，一鳳抓龍尾。柄及底盤上浮雕有三龍二鳳，龍鳳相互纏繞，龍身滿飾由波浪紋組成的鱗紋。
現藏湖北省荆州博物館。

勾連雲紋豆
戰國
河南信陽市長臺關1號墓出土。
高20.2厘米。
木胎。由盤、柄、底座三部分榫接而成。盤表面飾勾連紋。
現藏河南省文物考古研究所。

鳥紋杯豆

戰國

河南信陽市長臺關1號墓出土。

高18.7厘米。

木胎。由盤、柄、底座三部分榫接而成。

現藏河南省文物考古研究所。

龍紋蓋豆

戰國

湖北隨州市曾侯乙墓出土。

高28.3厘米。

木胎。由蓋與器身兩部分組成。蓋頂中心浮雕兩蟠龍，周邊另有十組浮雕的龍首或龍身紋樣，方耳亦浮雕龍紋，造型優美。

現藏湖北省博物館。

春秋戰國（公元前七七〇年至公元前二二一年）

龍鳳紋蓋豆

戰國

湖北隨州市曾侯乙墓
出土。

高24.3厘米。

木胎。由蓋與器身兩部
分組成。蓋兩側有新月
形缺口，以便嵌裝器
耳。蓋頂中心、方耳
各側均浮雕形態各异的
龍紋裝飾，雕刻細緻入
微。蓋內及豆盤內髹朱
漆，餘髹黑漆，并用
紅、金色彩繪菱形紋、
網紋、勾連紋和變形鳳
紋等。

現藏湖北省博物館。

龍鳳紋蓋豆器蓋

蓮花鳥座蓋豆

戰國

湖北荊州市天星觀2號墓出土。

高28.5厘米。

豆下部爲一隻仰頸瑞鳥，雙翼張開，爪間抓一條捲曲
的蛇。豆蓋上飾獸面紋，豆盤外部飾一周蓮瓣。整個器
身以黑漆塗地，盤內塗朱漆，其它部分用朱漆和黃漆繪
紋飾，鳥翼和鳥背部繪龍紋和鳥紋。鳥胸前繪一對龍，
龍後爪捉蛙。

現藏湖北省荊州博物館。

蟠虺紋陶蓋豆

戰國

湖北雲夢縣珍珠坡1號墓出土。

高34厘米。

陶胎。蓋與器身相扣合，呈圓球形。通體髹黑漆，以紅、金、白色漆在黑漆地上彩繪花紋。

現藏湖北省雲夢縣博物館。

彩繪鴛鴦蓋豆

戰國

湖北江陵縣雨臺山427號墓出土。

高25.5厘米。

木胎。豆蓋與盤以子母口相扣合，外作靜睡的鴛鴦狀。

現藏湖北省荊州博物館。

鳳鳥紋方蓋豆

戰國

湖北老河口市安崗2號墓出土。

高39.4厘米。

木胎。蓋中部有一長方形握手。器表髹黑漆，并用紅、棕、黃三色繪變形鳳鳥紋、絢紋、螭虺紋等。

現藏湖北省老河口市博物館。

雲紋扁圓盒

戰國

湖北江陵縣雨臺山297號墓出土。

高12、口徑25.8厘米。

木胎。整器呈扁圓形，平底，矮圈足。內髹朱漆。蓋內側和底部刻劃"＊"符號。

現藏湖北省荊州博物館。

樂舞紋鴛鴦盒
戰國
湖北隨州市曾侯乙墓出土。
高8.6、長10.3厘米。
木胎。盒身爲兩半邊分別製作再粘合而成，頭頸與身榫
接而成，背上有一長方形口與蓋扣合。器表遍髹黑漆作
地，以朱、黃色漆描繪出鴛鴦的器官和羽毛，并在腹部
兩側各繪一幅樂舞圖。
現藏湖北省博物館。

鳳鳥紋扁圓盒

戰國

湖北江陵縣雨臺山354號墓出土。

通高12.2、口徑24.6厘米。

木胎。整器呈扁圓形，平底，矮圈足。蓋頂中部有一銅套環鈕飾。内髹朱漆，器表則髹黑漆，并用朱、黄色漆彩繪鳳鳥紋、勾連捲雲紋等紋樣。

現藏湖北省荆州博物館。

雙耳長盒

戰國

湖北江陵縣棗林鋪緑化街1號墓出土。

高12.8、長35.6厘米。

木胎。整器呈橢圓形，由蓋與器身以子母口相扣合而成。通體髹黑漆。

現藏湖北省荆州博物館。

龍紋盒

戰國

四川成都市商業街出土。

盒口徑30厘米。

木胎。器身和器蓋兩側各有一對稱的虎頭雙耳，上下雙

耳作子母口，器內有五格。器表髹黑漆，器內未髹漆。
黑漆底上朱繪圖案三周，器沿上的一周爲竪綫紋，中間
兩周主要是走龍紋和變形龍紋。

現藏四川省成都市文物考古研究所。

龍紋盒盒蓋

捲雲紋酒具盒

戰國

湖北江陵縣紀城1號墓出土。

高15、通長48.8、寬20.5厘米。

木胎。盒內分三段四格，分別放置倒扣的大、小方盤和扁壺各一，另殘存三件耳杯。各器除扁壺內外壁皆髹黑漆外，餘器皆內紅外黑。盒外壁淺浮雕捲雲紋及獸面紋。

現藏湖北省文物考古研究所。

方格紋酒具盒

戰國

湖北荊門市包山2號墓出土。

高19.6、長71.5、寬25.6厘米。

木胎。整器呈圓角長方形，兩端各有一龍嘴形短柄。盒內分四段六格，分別放置八件耳杯、兩件壺、大盤與小盤各一。各器均內髹朱漆，外髹黑漆。

現藏湖北省博物館。

春秋戰國（公元前七七〇年至公元前二二一年）

猪形盒

戰國

湖北荆州市天星觀2號墓出土。

高28.6、長64.2、寬24厘米。

木胎。由蓋、身兩部分組成。兩端雕成猪頭形，猪耳後立，耳上有銅環作捉手。身下有四足。全器外壁皆以黑漆爲地，在其上用紅、黃、銀灰、棕紅等色繪龍紋、鳳紋、雲氣紋以及樂舞、狩獵場景。內壁髹紅漆。

現藏湖北省荆州博物館。

猪形盒側視圖

春秋戰國（公元前七七〇年至公元前二二一年）

猪形盒

戰國
湖北江陵縣雨臺山56號墓出土。
高20、長43、寬15厘米。
木胎。由蓋與器身扣合而成，兩端雕成猪頭狀，器身
下雕伏臥四足。通體髹黑漆，以紅、黃漆繪捲雲紋、
渦紋等。
現藏湖北省文物考古研究所。

方塊幾何紋長弧形盒

戰國
湖南臨澧縣九里1號墓出土。
殘高19.5、長85.5厘米。
木胎。由蓋與器身以子母口相扣合而成，蓋甚殘。
現藏湖南省博物館。

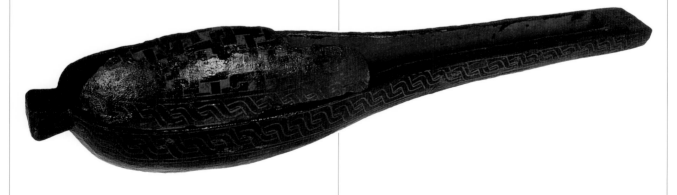

鳳紋盤

戰國

湖北江陵縣馬山1號墓出土。

高5.1、口徑27.1厘米。

夾紵胎。通體髹黑漆，以暗紅和朱紅彩繪鳳紋、變形鳥紋、雲紋及各種幾何紋樣。

現藏湖北省荊州博物館。

捲雲紋盤

戰國

江蘇揚州市西湖果園磚瓦廠木槨墓出土。

高5.8、口徑42.5厘米。

夾紵胎。盤沿用菱形、對角曲折和波浪紋組成散點狀圖案，內壁繪七組對稱的波折紋樣，以"S"形雲氣紋相間，襯以捲雲紋和變形鳥首紋。

現藏江蘇省揚州博物館。

龍紋盤

戰國

四川成都市商業街出土。

高23、口徑41.5厘米。

木胎。淺盤，大圈足。外表髹黑漆。
盤面黑漆底上有朱繪紋樣，中部爲圓
圈紋、"十"型紋，外側飾變形龍
紋、菱形紋。圈足上直接在黑漆底上
以朱色勾勒幾圈弦紋，內飾變形龍紋
一周。

現藏四川省成都市文物考古研究所。

幾何紋雙耳筒杯

戰國

湖北隨州市曾侯乙墓出土。

通高16.2、口長11.7、寬10.1厘米。

木胎。杯口呈橢圓形，耳上下均有兩個貫通的扁孔。通
身髹黑漆，器表以朱漆繪幾何花紋。

現藏湖北省博物館。

幾何紋瓚

戰國

湖北隨州市曾侯乙墓出土。

通高8.3、口長11.7、寬8.1厘米。

木胎。杯身兩側分別有一柄一耳。杯內髹朱漆，杯外髹
黑漆，并以朱漆繪幾何花紋。

現藏湖北省博物館。

鳳紋帶流杯

戰國

湖北荆門市包山2號墓出土。

高10、最大口徑19.3厘米。

木胎。杯口近似桃形，流雕
作鳳口銜珠狀。外壁以朱、
黃、金色彩繪勾連雲紋、鳳
紋等紋樣。

現藏湖北省博物館。

鳥雲紋耳杯

戰國

湖北江陵縣紀城楚墓出土。

高4.2、口長17.5厘米。

木胎。杯底平。通體髹黑漆，耳面和杯口兩端用朱、黃漆繪鳥雲紋。

現藏湖北省文物考古研究所。

變形鳥紋耳杯

戰國

湖北江陵縣沙冢1號墓出土。

高4.7、長15.2厘米。

木胎。杯耳微上翹，底平。器表髹黑漆，兩耳及口沿內外以朱漆繪變形鳥紋、雲紋等紋樣。

現藏湖北省博物館。

春秋戰國（公元前七七〇年至公元前二二一年）

雙鳳紋耳杯

戰國
湖北江陵縣馬山1號墓出土。
高3.3、口長15.7厘米。
木胎。杯耳微上翹，底平。
器表和口沿內髹黑漆，杯內
髹暗紅漆，并繪雙鳳紋。
現藏湖北省荊州博物館。

幾何紋耳杯

戰國
湖北江陵縣望山2號墓出土。
高6.7、口長18厘米。
木胎。杯底內凹，假圈足。杯耳及口沿外的黑漆地上用
朱漆繪圓圈紋與幾何紋。
現藏湖北省博物館。

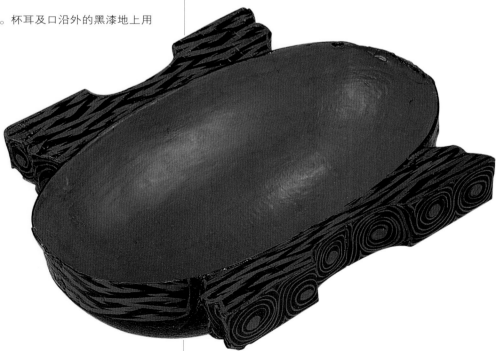

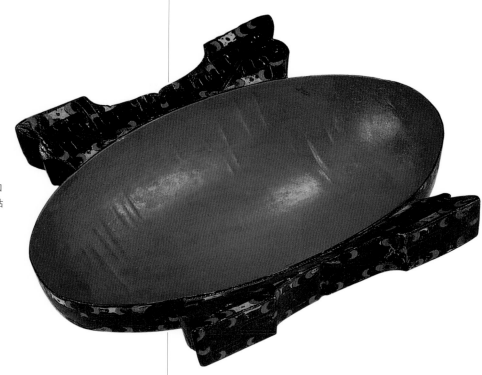

變形蝶紋耳杯

戰國

湖北江陵縣望山1號墓出土。

高7.1、口長19.8厘米。

木胎。杯底內凹，假圈足。
器外髹黑漆，并在耳部及口
沿外部彩繪變形蝶紋、圓點
紋等紋樣。

現藏湖北省博物館。

雲紋耳杯

戰國

湖南長沙市朝陽新村195
號墓出土。

高7、口長22.5厘米。

木胎。通體髹黑漆，以朱
漆繪花紋。

現藏湖南省博物館。

波折紋耳杯

戰國

四川青川縣郝家坪40號墓出土。

高4.2、口長14.8厘米。

木胎。通體髹黑漆，兩耳面及口沿外繪朱漆波折紋、圓點紋、變形雲紋等紋樣。在一耳面上刻"×"符號。

現藏四川省文物考古研究所。

彩繪鳳鳥雙連杯

戰國

湖北荊門市包山2號墓出土。

高9.2厘米。

木胎，雕製。整器爲一鳳展翅欲飛狀，鳳負雙杯。杯的筒形壁爲竹質。此器的鳳首、腹和雙翅均有嵌銀。

現藏湖北省博物館。

蟠虺紋漆衣陶鈁

戰國

湖北雲夢縣珍珠坡1號墓出土。

高43厘米。

陶胎。器表髹黑漆，以朱漆繪蟠
虺紋邊綫，內填飾小紅點紋。

現藏湖北省雲夢縣博物館。

網紋漆衣陶盨缶

戰國

湖北雲夢縣珍珠坡1號墓出土。

通高28、腹徑26.5厘米。

陶胎。通體髹黑漆，并以朱、白
漆繪弦紋、網紋等紋樣，腹部的
三道凸弦紋之間填金粉。

現藏湖北省雲夢縣博物館。

狩獵紋卮

戰國

湖南長沙市顏家嶺35號墓出土。

高11.5厘米。

木胎，器壁捲製，底部斲製成型。足及環狀鋬均爲銅質。器內髹朱漆，外爲黑地紅彩，以弦紋分隔五層狩獵紋樣。

現藏湖南省博物館。

蟠蛇紋卮

戰國

湖北江陵縣雨臺山471號墓出土。

高20.9、口徑11厘米。

木胎。整器呈圓筒狀，內髹朱漆，外髹黑漆。浮雕二十條相互蟠纏并以朱、黃色漆描繪的蛇形。

現藏湖北省荊州博物館。

勾連雲紋奩

戰國

湖北荊門市郭店1號墓出土。

高12、口徑26厘米。

蓋沿與器身爲捲製的薄木胎，蓋與底爲斲製的厚木胎。器身外有對稱的銅獸面鋪首銜環各一。黑漆地，朱漆繪勾連雲紋。

現藏湖北省荊門博物館。

車馬出行紋奩

戰國

湖北荊門市包山2號墓出土。

高10.8、口徑27.9厘米。

夾紵胎。奩裏髹朱漆，外髹黑漆，并于黑漆地上彩繪花紋圖案，蓋頂繪鳳鳥紋，變形蝶紋等。蓋壁繪一幅環繞奩身的場面壯觀的車馬出行圖。

現藏湖北省博物館。

春秋戰國（公元前七七〇年至公元前二二一年）

車馬出行紋奩局部之一

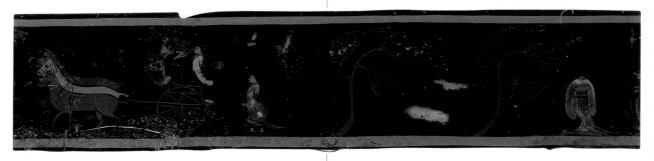

車馬出行紋奩局部之二

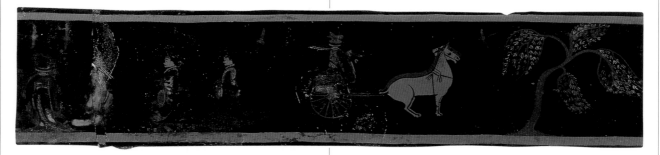

車馬出行紋奩局部之三

車馬出行紋奩局部之四

鳥雲紋奩

戰國

遼寧瀋陽市戰國墓出土。

蓋高6、徑17厘米；奩高5.5、
徑16厘米。

木胎。器表髹黑漆，器內髹朱
漆。器表用朱漆繪鳥雲紋、捲
雲紋和菱形紋等紋樣。

現藏遼寧省文物考古研究所。

尊

戰國

湖北江陵縣棗林鋪綠化街1
號墓出土。

高18.8、口徑15.6厘米。

木胎。蓋頂與底爲斲製的厚
木胎，蓋壁與器壁爲捲製
的薄木胎。器底有三個銅蹄
足，器蓋及腹部均有一銅環
形飾。通體髹黑漆。

現藏湖北省荊州博物館。

后羿射日紋匴

戰國

湖北隨州市曾侯乙墓出土。

高37、長69、寬49厘米。

木胎。器內外均髹黑漆，并有朱書文字二十字。蓋面以
朱漆繪"后羿射日"主題紋樣。器身除側面光素外，餘
皆飾彩繪花紋。

現藏湖北省博物館。

后羿射日紋匴頂面

鳥獸紋匫

戰國

湖北隨州市曾侯乙墓出土。

高36.5、長72、寬48厘米。

木胎。器內外均髹黑漆。蓋面陰刻“狄匫”二字，并繪有四獸紋和捲雲紋。器身衹背面光素，餘皆飾花紋。

現藏湖北省博物館。

二十八宿紋匫

戰國

湖北隨州市曾侯乙墓出土。

通高40.5、長71、寬47厘米。

木胎。器表髹黑漆，器內髹朱漆。蓋頂朱書篆文“斗”字，二十八宿名稱按順時針方向排列其周圍，蓋頂兩端分別繪青龍、白虎。兩端面繪蟾蜍、雲紋和星點紋。兩側面，一面繪對獸紋、捲雲紋和星點紋，另一面無紋樣。

現藏湖北省博物館。

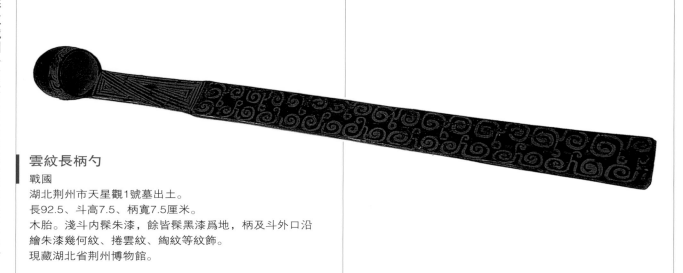

雲紋長柄勺

戰國

湖北荊州市天星觀1號墓出土。

長92.5、斗高7.5、柄寬7.5厘米。

木胎。淺斗內髹朱漆，餘皆髹黑漆爲地，柄及斗外口沿
繪朱漆幾何紋、捲雲紋、絢紋等紋飾。

現藏湖北省荊州博物館。

三角形紋蓋形器

戰國

湖北江陵縣雨臺山10號墓出土。

高10.3厘米。

木胎。器下有三矮獸形足。蓋周
邊及器身外分別雕刻絢紋和三角
形紋。

現藏湖北省文物考古研究所。

勾連雲紋盝形器
戰國
湖北江陵縣雨臺山10號墓出土。
高22.6厘米。
木胎。整器呈橢圓形，蓋與器身
形製基本相同，均有四足與兩持
柄。紋飾有幾何形紋和捲葉紋。
現藏湖北省文物考古研究所。

雲雷紋杯形器
戰國
湖北隨州市曾侯乙墓出土。
高11.2、口徑11.8厘米。
木胎。大平口，上壁較直，下壁
弧裹收成小平底，底部有兩個穿
透的小圓孔。通體髹紅漆，器表
用金、深紅色彩繪雲雷紋，反首
成對的四組夔龍紋等圖案。外底
當中爲渦紋，外圈爲絢紋。
現藏湖北省博物館。

春秋戰國（公元前七七○年至公元前二二一年）

編鐘架

戰國

湖北隨州市曾侯乙墓出土。

長架高265、長748厘米；短架高273、長335厘米。

編鐘架的立柱與橫梁均爲木胎，上髹黑漆爲地，并以
朱、黃色漆繪花紋。

現藏湖北省博物館。

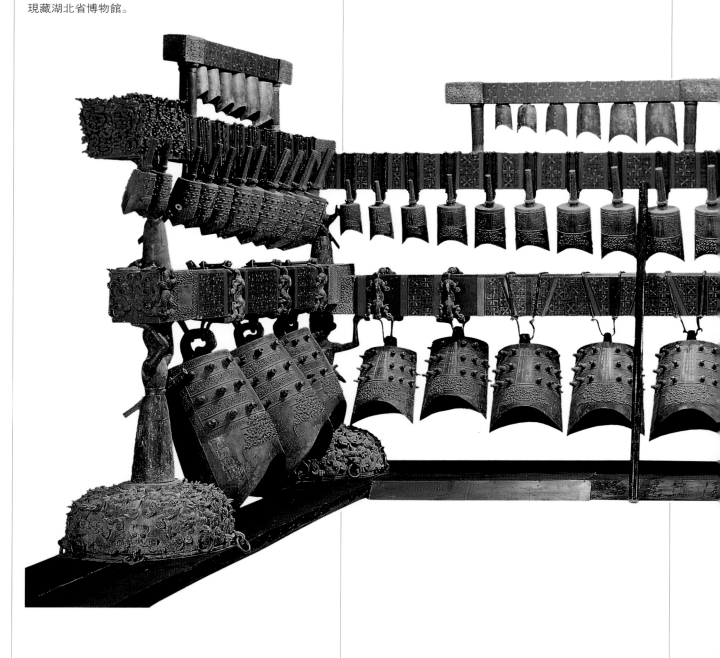

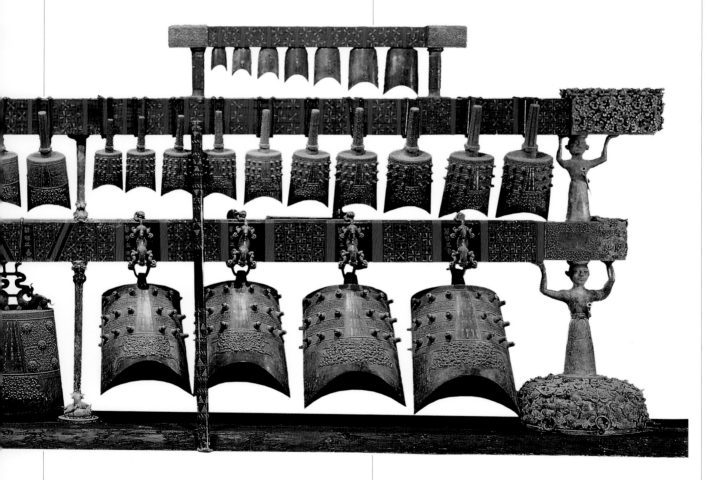

鳳鳥紋五弦琴

戰國

湖北隨州市曾侯乙墓出土。

長115、首寬7、尾寬5.5厘米。

木胎。通體髹黑漆，以朱、黃漆繪鳳鳥紋、菱形紋及跨雙龍的長髮人形紋。

現藏湖北省博物館。

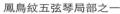

鳳鳥紋五弦琴局部之一

鳳鳥紋五弦琴局部之二

十弦琴

戰國

湖北隨州市曾侯乙墓出土。

高11.4、長67、寬19厘米。

木胎。由琴身和活動底板組成。琴首端有十個弦孔，琴身可見勒弦痕迹。通體髹黑漆，有陰刻弦紋。

現藏湖北省博物館。

七弦琴

戰國

湖北荊門市郭店1號墓出土。

高7.4、長83.1、寬13.3厘米。

由兩塊整木雕製輔以斲製後粘合而成。首端有七個小弦孔，琴身可見勒弦痕迹。通體髹黑漆，素面。

現藏湖北省荊門博物館。

春秋戰國（公元前七七〇年至公元前二二一年）

彩繪孔雀紋瑟

戰國

湖北荊州市沙市區喻家臺41號墓出土。

長88.7、寬41.5、高10厘米。

木胎。瑟體兩端髹黑漆，首尾岳及擋板、內外側板的兩
端均用紅、黃色彩繪龍、孔雀等圖案。

現藏湖北省荊州市沙市博物館。

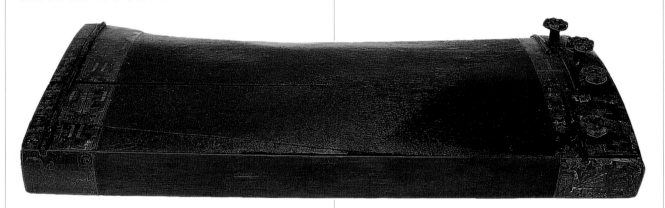

彩繪孔雀紋瑟尾岳部

春秋戰國（公元前七七〇年至公元前二二一年）

彩繪孔雀紋瑟局部之一

彩繪孔雀紋瑟局部之二

龍鳳紋瑟

戰國

湖北隨州市曾侯乙墓出土。

高13.7、長167.3、首寬42.2、尾寬38.5 厘米。

木胎。通體髹黑漆，其六面板外又髹朱漆。尾部在獸面
紋地上雕出龍、蛇紋，首端、尾端及首部、兩側板上均
繪鳳鳥紋、蟠虺紋等紋樣。

現藏湖北省博物館。

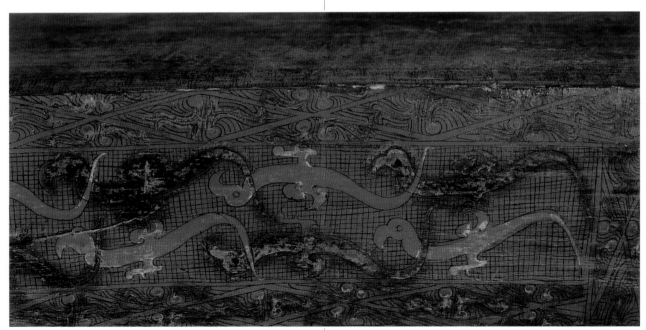

龍鳳紋瑟局部

宴樂紋錦瑟殘片

戰國

河南信陽市長臺關1號墓出土。

殘長10.2、殘寬6.7厘米。

木胎，斲製。畫面人物分別作擊鼓、吹笙、吹篪、彈琴、彈瑟、歌唱等情狀，表現了配置齊全、氣氛熱烈的宴樂樂隊演出場面。

現藏河南省文物考古研究所。

虎座雙鳥懸鼓架

戰國

湖北江陵縣棗林鋪1號墓出土。

高86厘米。

木胎。鼓架由二虎和二鳥組成。通體髹黑漆，并用朱、黃漆彩繪虎身斑紋、鳥的羽毛紋和鼓框的斜三角雲紋等紋樣。

現藏湖北省荆州博物館。

虎座彩繪雙鳥懸鼓架
戰國
湖北江陵縣楚墓出土。
高84.4厘米。

木胎。鼓懸挂于雙鳥之間，用絲繩連接鼓銅環并繫于鳥冠之上。通體髹黑漆，并以朱、黃漆彩繪花紋。
現藏湖北省荆州市沙市博物館。

鹿鼓

戰國
湖北江陵縣楚墓出土。
高29.1、長32.2厘米。
木胎。由鹿角、鹿頭、鹿身及實心小木
鼓四部分一一榫接而成。通體髹黑漆，
以朱、黃漆繪斑點。
現藏湖北省荊州市沙市博物館。

方框勾連雲紋盾

戰國
湖北隨州市曾侯乙墓出土。
高93、寬54.5厘米。
皮胎。正背面均髹黑漆。背面用朱、
黃色彩繪花紋，其正中從上至下有九
排雙圓眼以用于繫盾柄。
現藏湖北省博物館。

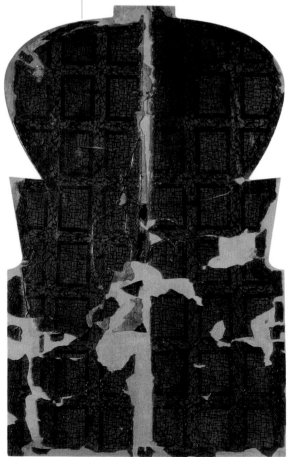

龍鳳紋盾

戰國

湖北荊門市包山2號墓出土。

高46.8厘米。

皮胎。正面呈凸弧形，以朱、棕紅、黄、金四色彩繪對稱的龍、鳳、捲雲紋于黑漆地上。背面中部繪變形龍鳳紋，周邊則飾雲雷紋。

現藏湖北省博物館。

雲紋盾

戰國

湖南長沙市楚墓出土。

高63、寬43.3厘米。

薄木胎，斲製。通體髹黑漆，以朱漆繪弦紋分隔邊飾與中心紋飾，中心紋飾爲雲紋、變形鳥紋，邊飾爲變形獸紋。

現藏湖南省博物館。

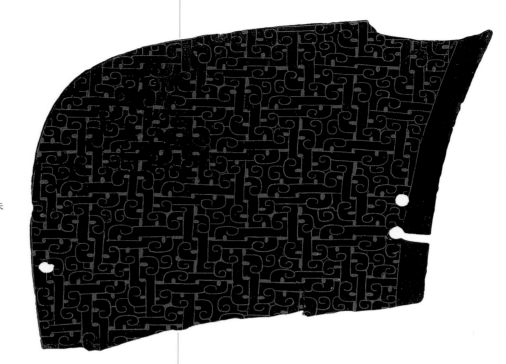

勾連雲紋馬甲殘片

戰國

湖北隨州市曾侯乙墓出土。
長15、殘寬16厘米。
皮胎。通體髹黑漆，并用朱
漆繪勾連雲紋圖案。
現藏湖北省博物館。

龍鳳獸紋馬冑殘片

戰國

湖北隨州市曾侯乙墓出土。
殘長33、殘寬23厘米。
皮胎。通體髹黑漆爲地，并
用朱、黃色漆繪龍、鳳、獸
等紋樣。
現藏湖北省博物館。

捲雲紋劍櫝

戰國

湖北江陵縣雨臺山6號墓出土。

高10.8、長64、寬6.4厘米。

木胎。呈長方形，由蓋與盒身相扣合而成。通體髹黑漆，中部刻捲雲紋。

現藏湖北省文物考古研究所。

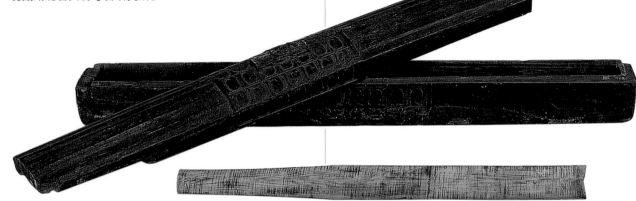

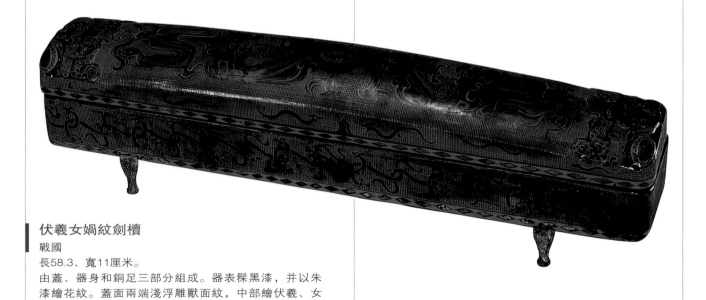

伏羲女媧紋劍櫝

戰國

長58.3、寬11厘米。

由蓋、器身和銅足三部分組成。器表髹黑漆，并以朱漆繪花紋。蓋面兩端淺浮雕獸面紋，中部繪伏羲、女媧人面蛇身互相纏繞交尾圖，餘地繪龍蛇紋、勾連紋、菱格紋和方格網紋等。

現藏北京市保利藝術博物館。

鳳鳥紋劍鞘

戰國
湖北江陵縣望山1號墓出土。
長29.8、首寬3、尾寬2厘米。
夾紵胎，模製成形。通體髹黑漆，并用朱、黃、金色彩
繪花紋。頭端兩側分別繪雙鳳紋和變形鳥紋，尾端繪變
形鳥紋、捲雲紋等。
現藏湖北省博物館。

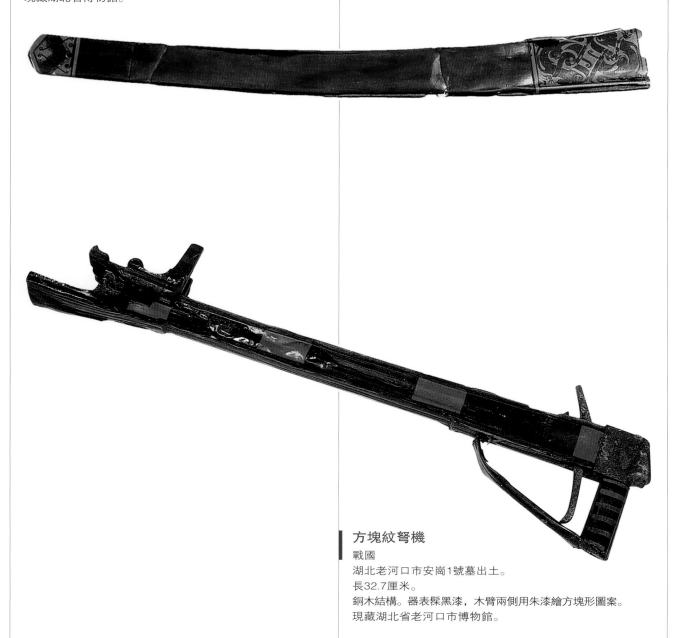

方塊紋弩機

戰國
湖北老河口市安崗1號墓出土。
長32.7厘米。
銅木結構。器表髹黑漆，木臂兩側用朱漆繪方塊形圖案。
現藏湖北省老河口市博物館。

鳥獸紋座屏

戰國

湖北江陵縣望山1號墓出土。

高15、長51.8厘米。

木胎。底座兩端着地，中懸如橋，上承透雕屏，采用透雕與淺浮雕技法鏤刻鳳、鳥、鹿、蛙、蛇、蟒等動物形象共五十五個，組成一幅對稱而又生動的立體圖案。現藏湖北省博物館。

雙龍紋座屏

戰國

湖北荆州市天星觀1號墓出土。

高13.2、長49厘米。

木胎。通體髹黑漆。雕屏正中
用立木分隔，兩側各透雕一相
背向的龍，龍身各部還用紅、
黃、金三色彩繪花紋。

現藏湖北省荆州博物館。

獸銜蟒紋座屏

戰國

湖北老河口市安崗1號墓出土。

高52.4、寬54厘米。

木胎。由屏身、屏座兩部分榫
接而成，屏身爲透雕兩獸銜蟒
狀。通體髹黑漆，素面。

現藏湖北省老河口市博物館。

絢紋矢箙

戰國

湖北江陵縣紀城楚墓
出土。

高19.6、口長22.5、
寬6厘米。

木胎。此器爲斜口平
底狀，橫截面作橢圓
形。前壁板下端中段
的外表鑿成半圓形內
凹面，且與器內壁及
口沿處同髹朱漆，餘
皆髹黑漆。器底有淺
浮雕絢紋。

現藏湖北省文物考古
研究所。

春秋戰國（公元前七七〇年至公元前二二一年）

鳥獸紋矢箙面板

戰國

湖北江陵縣沙冢1號墓出土。

高23.5、上寬22、下寬18厘米。

木胎。面板透雕一鳥及兩鳳、兩豹，并于邊框上淺浮雕
兩條小蛇，造型生動。

現藏湖北省博物館。

蟠虺紋馬飾

戰國

河南新蔡縣平夜君成墓出土。

長24.5厘米。

角質胎。由上、中、下三部分組成。該器直接以黑漆描
繪花紋，而無地漆，其中部突箍外飾四組渦紋。

現藏河南省文物考古研究所。

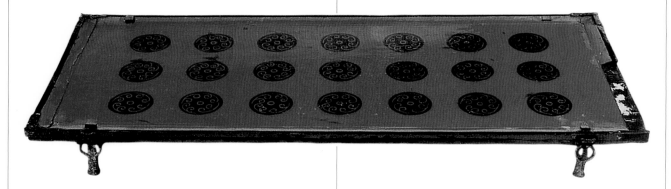

捲雲紋案面

戰國

河南信陽市長臺關7號楚墓出土。

長135、寬60厘米。

木胎。案面長方形，周邊用較窄的板材加固，并高出案
面，下部有四個青銅質獸蹄狀矮足，足頂端的案沿飾以
鋪首銜環。圖案髹朱紅色漆，其上再用黑漆作畫，爲團
花式的捲雲紋樣，分三行七列均勻配置。

現藏河南省文物考古研究所。

三角紋几型器

戰國

四川成都市商業街出土。

高8.8、長98、寬11.8厘米。

木胎。形體狹長，有兩足，形似几。面微凸，分布有條形或橢圓形槽子以及圓孔，其中有的穿透器身。兩足呈束腰狀。髹漆，但衹在面上朱繪三角紋、蝴蝶紋等。

現藏四川省成都市文物考古研究所。

龍紋案面

戰國

四川成都市商業街出土。

長61、寬43厘米。

木胎。案面內凹，兩端各有二方形透卯與兩側的案足相接。案面中部爲一組分別用赭色和淺赭色兩種顏色繪製的走龍紋，兩側各有兩排朱繪的變形龍紋。

現藏四川省成都市文物考古研究所。

龍紋案足

戰國

四川成都市商業街出土。

上寬38.3、下寬73.8、高77.7厘米。

木胎。正面爲梯形，上端圓弧。中部爲一組分別用赭色
和淺赭色兩種顏色繪製的走龍紋，兩側各有兩排朱繪的
變形龍紋。

現藏四川省成都市文物考古研究所。

春秋戰國（公元前七七〇年至公元前二二一年）

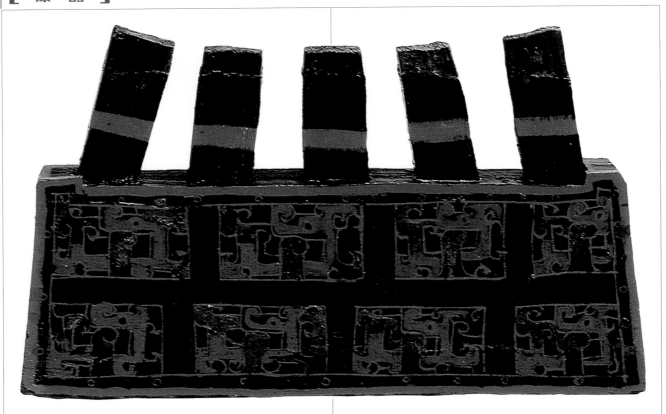

龍紋案足

戰國

四川成都市商業街出土。

通高38.3厘米。

五個方足插入梯形足座中，足座略向兩端外撇。器表髹
漆，方足外側朱繪一寬帶紋，足座外側繪變形龍紋。

現藏四川省成都市文物考古研究所。

勾連雲紋几面板

戰國

河南信陽市長臺關1號墓出土。

長60.4、最寬23.7厘米。

木胎。几面陰刻勾連雲紋。足爲圓柱狀，榫接于面板下
端的方形橫木座上。

現藏河南省文物考古研究所。

雲雷紋架

戰國

湖北隨州市曾侯乙墓出土。

高181.5、長264厘米。

木胎。由圓座、立柱、橫梁三部分組成。橫梁于端處上翹，作獸首形。通體髹黑漆，并飾以紅漆繪雲紋、絢紋、雲雷紋等圖案。

現藏湖北省博物館。

六博棋盤

戰國

湖北江陵縣紀城1號墓出土。

高12.5、長34.6、寬20.5厘米。

木胎。由盤板和四蹄狀足組成。盤面鑿出邊框和"一"、"L"形符號，有兩個孔徑爲0.4-0.5厘米的單向小孔作對角狀分布。

現藏湖北省文物考古研究所。

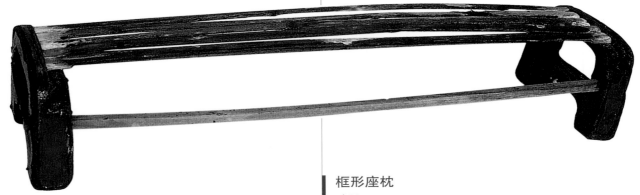

框形座枕

戰國

湖北荆門市包山2號墓出土。

高13.2、長66.6、寬17.4厘米。

木胎。枕座呈框形，上端弧面，內側鑿出二層臺，其上鋪竹枕梁七根。皆髹棕色漆。

現藏湖北省荆門博物館。

矩紋竹扇

戰國

湖北江陵縣馬山1號墓出土。

扇面外側長24.3、寬16.8厘米，扇柄通長40.8厘米。

竹胎，編織而成。扇面外緣縫寬2厘米的黑色錦緣，篾寬0.1厘米。篾片分別髹紅、黑漆，并編織成矩形圖案，然後又在矩紋裹編織連續的小"十"字形紋。

現藏湖北省荆州博物館。

花瓣狀雲紋木梳

戰國
湖北江陵縣雨臺山74號墓出土。
長9.1、寬7.1厘米。
木胎，斲製。梳有24齒，上部髹黑漆爲
地，并以朱漆繪花紋。正面爲三角形花瓣
狀雲紋，背面爲三角形雷紋。
現藏湖北省荊州博物館。

鳳紋漆衣銅方鏡

戰國
湖北荊門市包山2號墓出土。
高11.1厘米。
銅胎。鏡托中央鑄柿蒂紋，上有橋鈕，周
圍鑄鏤空四鳳并于外圍飾勾連雲紋。髹黑
漆，以朱、黄色漆彩繪花紋。
現藏湖北省荊門博物館。

方格捲雲紋漆衣銅方鏡

戰國

湖北江陵縣雨臺山10號墓出土。

高8.4、寬8.3厘米。

銅胎。在黑漆地上用紅色和黃色
漆繪方格紋和捲雲紋，四周邊繪
紅帶紋。背面有一細橋鈕。

現藏湖北省文物考古研究所。

方格紋漆衣銅方鏡

戰國

湖北江陵縣劉家灣99號墓出土。

高10.5厘米。

銅胎。背面正中有一菱形小鈕。
在黑漆地上，以朱漆繪方格紋，
并以金色繪圓圈紋于方格紋內。

現藏湖北省荆州博物館。

鳳紋漆衣銅鏡

戰國

湖北老河口市安崗2號墓出土。

直徑17.2、厚0.15厘米。

銅胎。鏡背髹黑漆，并用紅、棕、黃色彩繪二鳳紋，中心飾圓圈紋。鏡背有一小鈕。

現藏湖北省老河口市博物館。

雲龍紋漆衣銅鏡

戰國

湖北荊門市包山2號墓出土。

直徑14.9、厚0.3厘米。

銅胎。鏡托髹黑漆。正中鑄柿蒂紋，其上爲細橋鈕，周圍鑄鏤空四分的蟠螭紋，龍身鑄變形三角形地紋和乳丁紋，周邊飾勾連雲紋。

現藏湖北省博物館。

蟠虺紋外棺

戰國

湖北隨州市曾侯乙墓出土。
高219、長320、寬210厘米。
棺爲銅框架嵌厚木板而成。側
面有一小門，可開閉。棺內髹
朱漆，外髹黑漆，并以朱、金
色漆繪蟠虺紋、捲雲紋等各種
花紋。
現藏湖北省博物館。

動物紋內棺

戰國

湖北隨州市曾侯乙墓出土。

高132、長249、寬127厘米。

棺蓋、棺身、四壁板均爲整木製成，并以榫卯相連接。棺內外均髹朱漆，在外壁的朱漆地上彩繪各種動物紋樣、幾何紋樣及變形的衛士形象，于側面各繪一扇板門。

現藏湖北省博物館。

春秋戰國（公元前七七〇年至公元前二二一年）

動物紋內棺頭端擋板

動物紋內棺足端擋板

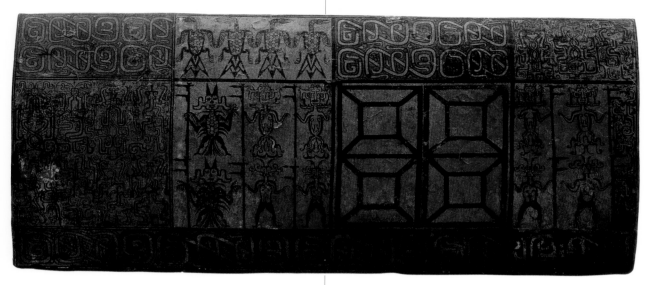

動物紋內棺側板

動物紋內棺棺蓋局部

雲雷紋陪葬棺

戰國

湖北隨州市曾侯乙墓出土。

長通高72、191、寬70厘米。

木胎。蓋板、棺身以子母口相扣合，棺身與底板均榫接
相連。內髹朱漆，外髹黑漆，蓋頂光素，餘地皆以朱漆
繪各種花紋。

現藏湖北省博物館。

鳳凰紋內棺

戰國

湖北荊門市包山2號墓出土。

高46、長184、寬46厘米。

木胎。由蓋板、棺身兩部分組成，呈長方盒狀。內髹朱漆，外髹黑漆，并以朱、黃、金色漆彩繪鳳凰紋圖案。

現藏湖北省博物館。

春秋戰國（公元前七七〇年至公元前二二一年）

鳳凰紋內棺擋板

雲龍紋雙頭鎮墓獸

戰國

湖北荊州市天星觀出土。

通高170厘米。

木胎。通體髹黑漆，以朱漆繪龍紋、雲紋和幾何紋等
紋樣。

現藏湖北省荊州博物館。

漆木龍雲紋單頭鎮墓獸

戰國

湖北江陵縣雨臺山6號墓出土。

高47.5厘米。

由木製的座、獸與真鹿角組成。獸面浮雕凸眼、眉，齜
牙吐長舌，恐怖威嚴。通體髹黑漆，并用紅漆繪龍紋、
雲紋和幾何紋等圖案。

現藏湖北省文物考古研究所。

單頭鎮墓獸

戰國

湖南長沙市留芳嶺3號墓出土。

通高45.5厘米。

木胎。由獸和座兩部分榫卯接合。
獸由首、頸、身三部分組成。獸頭
頂爲方形盝頂，并有兩個方孔，似
爲插飾鹿角之用。表髹黑漆地，并
彩繪花紋。

現藏湖南省長沙市博物館。

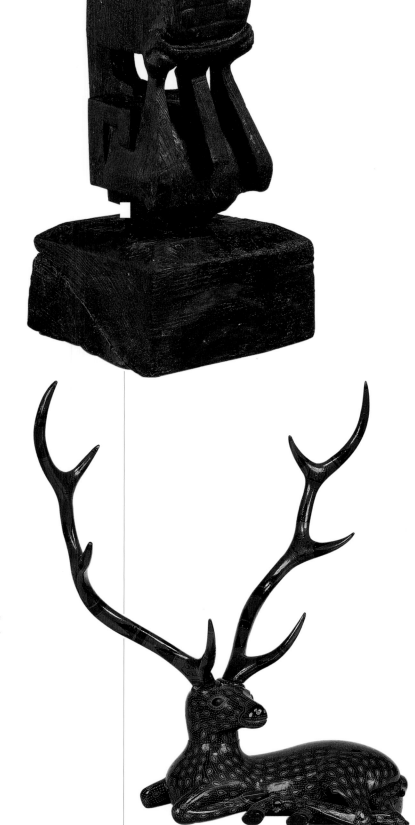

梅花鹿

戰國

湖北隨州市曾侯乙墓出土。

通高77、身高27、身長45厘米。

木胎雕製成型。頭與身以榫卯相接，
頭上插兩根真鹿角。頭、身皆髹黑
漆，以朱、黃漆繪梅花斑紋。角上亦
以朱、黑漆繪花紋。

現藏湖北省博物館。

卧虎

戰國

湖南臨澧縣九里1號墓出土。

高39.3、長59、寬17-23厘米。

木胎。虎作跪卧式，頭部有一方孔，原應插有一物。通體髹黑漆，以朱、黃漆繪虎身花紋。

現藏湖南省博物館。

卧虎

戰國

河南信陽市長臺關7號楚墓出土。

長52厘米。

木胎。虎作匍匐狀，一前肢殘。虎頭渾圓，雙耳直立，耳鼻口雕刻細膩，四肢粗壯而腰部纖細，臀部微抬，故又顯隨時躍起前撲之動態。表面通體髹黑漆，其上用黃、淺灰、深黑、白色繪出皮毛。

現藏河南省文物考古研究所。

秦（公元前二二一年至公元前二〇七年）

鳥雲紋圓盒

秦

湖北雲夢縣睡虎地9號墓出土。

高20.5、口徑20.8厘米。

木胎。器内髹朱漆，外髹黑漆，
并以朱、褐漆繪雲龍紋、鳳紋、
波折紋及變形鳥頭紋等紋樣。蓋
頂及外底有"咸亭上"的烙印文
字和"中"的針刻字。

現藏湖北省雲夢縣博物館。

鳥雲紋圓盒蓋面

鳥雲紋圓盒

秦

湖北雲夢縣睡虎地11號墓出土。
高18.5、口徑21厘米。
木胎。由蓋與器身相扣合而
成。器內髹朱漆，外髹黑漆，
并以朱、褐漆繪花紋。器表有
"告"、"亭上"、"素"、
"包"等烙印和針刻文字多處。
現藏湖北省雲夢縣博物館。

鳥雲紋圓盒蓋面

捲雲紋圓盒

秦

湖北江陵縣岳山15號墓出土。

高18.5、口徑22厘米。

木胎。器内髹朱漆，外髹黑漆，并以朱漆繪雲雷紋、捲雲紋、弦紋等紋樣和填繪凹弦紋。

現藏湖北省荊州博物館。

雲氣紋銅扣圓盒

秦

河南泌陽縣官莊北崗3號墓出土。

高20、口徑17厘米。

木胎。口沿、蓋頂及器底圈足均用鍍銀的紅銅鑲邊製作。器内髹褐漆，外髹黑漆，并以朱、褐、金黃色漆繪雲氣紋、蟠龍紋、變體雷紋和變體鳥紋等紋樣。器表有漆書和針刻文字十一個。

現藏河南博物院。

鳥雲紋長方盒
秦

湖北雲夢縣睡虎地36號墓出土。

長25.6、寬11.5、高7.5厘米。

木胎。器呈長方形，盝頂狀。內髹朱漆，外髹黑漆，并以朱、褐漆繪各種花紋。

現藏湖北省雲夢縣博物館。

鳥雲紋雙耳長盒
秦

湖北雲夢縣睡虎地9號墓出土。

長27.8、寬13.3、高11.8厘米。

木胎。由蓋與器身相扣合而成。內髹朱漆，外髹黑漆，并以朱、褐漆繪鳥雲紋、變形鳥紋、鳥頭紋、圓圈紋等紋樣。

現藏湖北省雲夢縣博物館。

鳥雲紋雙耳長盒
秦

湖北雲夢縣睡虎地43號墓出土。

高8.3、長18.5、寬9.9厘米。

木胎。由蓋與器身相扣合而成。內髹朱漆，外髹黑漆，并以朱、褐漆繪鳥雲紋、鳥頭紋、波折紋等紋樣。器外有"咸包"、"亭上"的烙印文字。

現藏湖北省博物館。

長方形笥
秦

湖北雲夢縣睡虎地11號墓出土。

高13.8、長36、寬24厘米。

木胎，挖製輔以斲製。由蓋與器身相套合而成，呈圓角長方形。通體髹黑漆，素面。

現藏湖北省雲夢縣博物館。

變形鳥紋盂
秦
湖北雲夢縣睡虎地34號墓出土。
高11.5、口徑28.6厘米。
木胎。器口微斂，弧腹，平底，
矮圈足。器表及口沿內髹黑漆，
餘皆髹朱漆，以朱、褐漆繪變形
鳥紋、波折紋、點紋等紋樣。
現藏湖北省雲夢縣博物館。

鳳魚紋盂
秦
湖北雲夢縣睡虎地11號墓出土。
高8.8、口徑29厘米。
木胎。器斂口，平沿，弧腹，圜底，矮圈足。器表及口
沿內、外髹黑漆，餘皆髹朱漆，以朱、褐漆繪波折紋、
點紋及兩魚和一奔走狀鳳鳥紋。
現藏湖北省博物館。

秦（公元前二二一年至公元前二〇七年）

鳳魚紋盂

秦

湖北雲夢縣睡虎地11號墓出土。

高8.8、口徑29厘米。

木胎。通體髹黑漆，并以朱、褐漆繪鳳魚紋、波折紋和點紋等紋樣。器外底部有"亭"的烙印文字和"上造□"的針刻文字。

現藏湖北省雲夢縣博物館。

獸首鳳形勺

秦

湖北雲夢縣睡虎地9號墓出土。

高13.3、長13.8、寬10.6厘米。

木胎。勺內髹朱漆，餘皆髹黑漆，并以朱、褐漆繪出鳳鳥的羽毛和獸的眼、鼻、耳等，色彩絢麗，形象優美。在尾部下面有"咸□"與"□□亭□"的烙印文字。

現藏湖北省博物館。

牛馬紋扁壺

秦

湖北雲夢縣睡虎地44號墓出土。
高22.8、最大腹徑24.2厘米。
木胎。通體髹黑漆，以朱、褐漆彩
繪花紋。扁腹的一面爲奔馬和飛
鳥、另一面爲牛紋。
現藏湖北省博物館。

牛馬紋扁壺另一面

秦（公元前二二一年至公元前二〇七年）

扁壺

秦

湖北雲夢縣睡虎地33號墓出土。

高26.7厘米。

木胎。由兩半邊分別製作後粘合而成，通體髹黑漆，素面。

現藏湖北省雲夢縣博物館。

鳥雲紋尊

秦

湖北雲夢縣省睡虎地33號墓出土。

高13、口徑12厘米。

木胎。器底部有鑄銅箍和三個矮蹄足，側面環形鋬亦爲銅質。內髹朱漆，外髹黑漆，并以朱、褐漆繪花紋。外底部有兩個針刻文字。

現藏湖北省雲夢縣博物館。

菱紋銅扣尊

秦

湖北江陵縣岳山15號墓出土。

高14.9、口徑10厘米。

木胎。器蓋上飾三個 "S" 形銅鈕（一
個已脫落），腹部亦有一環形把鈕，
底部鑲嵌銅箍，并在箍上鑄有三蹄
足。内髹褐漆，外髹黑漆，并以金黄
色和棕色漆繪花紋。

現藏湖北省荆州博物館。

變形鳥頭紋卮

秦

湖北雲夢縣睡虎地11號墓出土。

高12.3、口徑11.3厘米。

器壁爲捲製的薄木胎，器底爲斲製的
厚木胎。器内髹朱漆，外髹黑漆，并
以朱、褐漆繪變形鳥頭紋等紋樣。

現藏湖北省雲夢縣博物館。

變形鳥頭紋卮

秦

湖北雲夢縣睡虎地45號墓出土。

高16.4、口徑14厘米。

蓋與底爲斲製的厚木胎，蓋壁與器
壁爲捲製的薄木胎。由蓋與器身相
套合而成，側面有單環形鋬。器内
髹朱漆，外髹黑漆，并以朱、褐漆
繪鳳紋、變形鳥頭紋等紋樣。

現藏湖北省博物館。

鳥雲紋耳杯

秦

湖北雲夢縣睡虎地13號墓出土。

高7、長24.5、寬19.6厘米。

木胎。器内壁中部髹朱漆，餘皆
髹黑漆，并以朱漆繪花紋。外底
部有“左里漆界”的針刻文字。

現藏湖北省雲夢縣博物館。

變形鳥紋耳杯

秦

湖北雲夢縣睡虎地34號墓出土。

高5.3、長18.4、寬13.5厘米。

木胎。器表與口沿內髹黑漆，餘皆髹朱漆，在黑漆地上以朱、褐漆繪變形鳥紋、鳥頭紋、波折紋等紋樣。

現藏湖北省雲夢縣博物館。

變形鳥紋耳杯

秦

湖北雲夢縣睡虎地9號墓出土。

高7.8、長24厘米。

木胎。杯內髹紅漆，杯外髹黑漆。口沿內外與兩耳用紅漆繪變形鳥紋、鳥頭紋、圓點紋等圖案。

現藏湖北省博物館。

捲雲紋耳杯

秦

湖北雲夢縣睡虎地14號墓
出土。

高7、長21.5、寬18.4厘米。

木胎。器内壁中部髹朱漆，
餘皆髹黑漆，并以朱、褐漆
繪花紋。兩耳及口沿内外繪
有波折紋、圓點紋等紋樣。

現藏湖北省雲夢縣博物館。

勾連雲紋耳杯

秦

湖北江陵縣出土。

高5.2、長15.5、寬9.5厘米。

木胎。通體髹黑漆，以朱漆
繪内底的弦紋、勾連雲紋、
幾何紋及兩耳、口沿外部的
雲紋紋樣。

現藏湖北省荆州博物館。

龍鳳戲珠紋耳杯

秦

湖北江陵縣岳山15號墓出土。
高5、長15.9、寬13.1厘米。
木胎。通體髹黑漆，杯內以褐
漆繪龍鳳戲珠紋，兩耳、口沿
外部繪菱形紋、圓圈紋和三角
形紋等紋樣。
現藏湖北省荊州博物館。

鳥雲紋奩

秦

湖北雲夢縣睡虎地34號墓出土。
高6.7、蓋徑22.2、身徑21.3厘米。
由蓋與器身套合而成。內髹朱漆，外髹黑漆，并以朱、
褐漆繪花紋。器外壁有“大女子小”針刻文字。出土時
奩內置銅鏡、木篦各一件。
現藏湖北省博物館。

秦（公元前二二一年至公元前二〇七年）

變形鳥紋奩

秦

湖北雲夢縣睡虎地13號墓出土。

通高7、蓋徑15.2、底徑14厘米。

木胎。由蓋與器身套合而成。內髹朱漆，外髹黑漆，并以朱、褐漆繪變形鳥紋、捲雲紋、波折紋、點紋等紋樣。

現藏湖北省雲夢縣博物館。

鳥雲紋奩

秦

湖北雲夢縣睡虎地25號墓出土。

高16.6厘米。

木胎。器內外均髹黑漆，器表與口沿內外用紅漆繪鳥雲紋及波折紋，蓋面用紅、褐漆繪鳥雲紋、菱形紋、點紋等圖案。

現藏湖北省博物館。

鳥紋奩

秦

湖北雲夢縣睡虎地7號墓出土。
高7、蓋徑16.5厘米。
木胎。器內髹紅漆，器外髹黑
漆。蓋面繪鳥紋、變形鳥紋、
菱形紋、十字紋、圓點紋等，
蓋外沿與器表繪變形鳥紋、圓
點紋等圖案。
現藏湖北省雲夢縣博物館。

變形鳥紋奩

秦

河南光山縣斷崗秦墓出土。
高5.8、蓋徑16.9厘米。
木胎。由蓋與器身相套合而
成。內髹朱漆，外髹黑漆，并
以朱漆繪變形鳥紋、捲雲紋、
波折紋、點紋等紋樣。
現藏河南省光山縣文物管理
委員會。

秦（公元前二二一年至公元前二○七年）

捲雲紋奩蓋

秦

湖北江陵縣擂鼓臺2
號墓出土。

蓋徑21.8厘米。

木胎。器表髹黑
漆，以朱漆繪弦
紋、捲雲紋、圈點
紋等紋樣。

現藏湖北省荊州博
物館。

鳥紋橢圓奩

秦

湖北雲夢縣睡虎地39號墓出土。

長29.4、寬12.5厘米。

木胎。由蓋與器身相套合而成。內髹朱漆，外髹黑漆，
并以朱、褐漆繪鳥紋、并蒂花瓣紋、捲雲紋、波折紋等
紋樣。

現藏湖北省博物館。

波折紋橢圓奩

秦

湖北雲夢縣睡虎地34號墓出土。

高10、長28、寬12.1厘米。

木胎，捲製。由蓋與器身套合而成。内髹朱漆，外髹黑漆，并以朱、褐漆繪波折紋、點紋、鳥雲紋等紋樣。

現藏湖北省博物館。

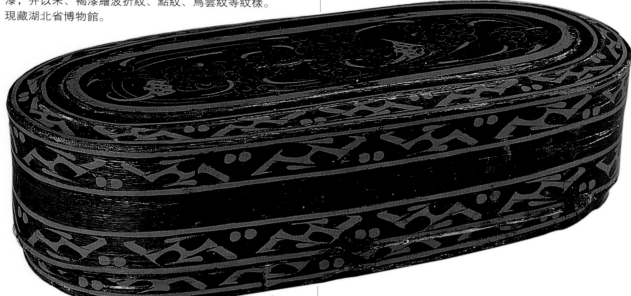

鳥雲紋匕

秦

湖北雲夢縣睡虎地9號和33號墓出土。

上匕長23.5、寬5.2厘米；下匕長18、寬4.1厘米。

木胎，削製。通體髹黑漆，以朱、褐漆繪鳥雲紋、點格紋、帶紋、圓圈紋等紋樣。上匕背面有針刻文字。

現藏湖北省博物館。

雲氣紋鼎

西漢

湖南長沙市馬王堆1號墓出土。

高28、口徑23厘米。

木胎。内髹朱漆，外髹黑漆，并以朱色和灰綠色漆繪花紋。蓋上有三橙黄色鈕，足部漆繪出獸面紋。器外底部朱漆書"二升"字樣。

現藏湖南省博物館。

捲雲紋鼎

西漢

山東臨沂市金雀山2號墓出土。
高16.3、口徑12.7厘米。
鐵胎。鼎外髹棕色漆，并以朱紅
色漆繪捲雲紋、雲氣紋、點紋、
幾何紋、波折紋等紋樣。鼎蓋中
間和邊沿均以朱漆繪帶紋一周。
現藏山東省臨沂市博物館。

雲紋鐘

西漢

湖南長沙市馬王堆1號墓出土。
高51.5、口徑18.1厘米。
木胎。內髹朱漆，外髹黑漆，并以
朱漆及灰綠色漆繪花紋。蓋上繪
雲氣紋，三鈕呈黃色。外底有朱書
"石"字。
現藏湖南省博物館。

捲雲紋壺

西漢

湖北江陵縣毛家園1號墓出土。

通高32.9、口徑11.2厘米。

木胎。由兩半邊分別製作後粘合成型。內髹朱漆，外髹黑漆，并以朱、褐漆繪花紋。器底和蓋內皆有針刻符號。

現藏湖北省博物館。

雲氣紋壺

西漢

湖南長沙市馬王堆3號墓出土。

高36、口徑13.3厘米。

木胎。內髹朱漆，外髹黑漆，并以朱、灰綠漆繪花紋。

現藏湖南省博物館。

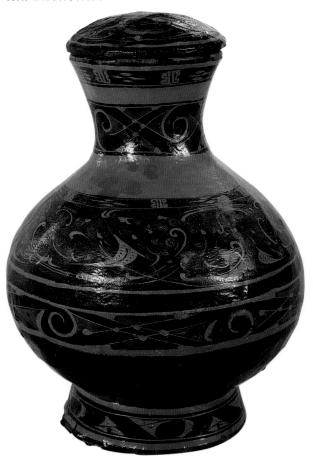

雲紋壺

西漢

廣西貴港市羅泊灣1號漢墓出土。

高42.8、口徑16.2、底徑18.6厘米。

以銅壺爲胎，在頸部及腹部漆繪蟬形垂葉紋和勾連雲紋
等紋樣。

現藏廣西壯族自治區博物館。

三角紋壺

西漢

安徽霍山縣迎駕廠漢墓出土。

高17.4、腹徑15厘米。

陶胎。外髹黑漆，以朱、黃漆繪仿青銅器的三角紋及雲
氣紋、弦紋等紋樣。

現藏安徽省霍山縣博物館。

西漢東漢（公元前二〇六年至公元二二〇年）

雲氣紋壺

西漢

湖北江陵縣高臺6號墓出土。

高33.8、腹徑26厘米。

木胎。內髹朱漆，蓋頂黑漆地上朱繪捲雲紋。

現藏湖北省荊州博物館。

雲氣紋壺

西漢

江蘇揚州市西湖鄉胡場17號漢墓出土。

通高12、口徑4.4、底徑5.6厘米。

木胎。內髹朱漆，外髹黑漆，并以朱、灰綠、金黃色漆繪花紋。蓋頂中心爲四葉柿蒂紋。

現藏江蘇省揚州博物館。

雲氣紋壺

西漢

江蘇揚州市西湖鄉胡場20號漢墓出土。

高12.4厘米。

木胎。滿髹褐漆地，朱漆繪。頸下飾倒三角紋，以金黃漆勾邊，上腹部在三角間隙中朱繪雲氣紋，下腹及圈足部朱繪條紋。蓋頂朱繪柿蒂紋，邊飾雲氣紋。

現藏江蘇省揚州博物館。

雲紋壺

西漢

山東日照市海曲漢墓出土。

高47.4、口徑17、腹徑34.3、圈足徑8厘米。

陶胎。通體施黑陶衣，以紅褐色彩繪三角紋和雲紋。

現藏山東省文物考古研究所。

牛紋扁壺

西漢

廣東廣州市馬棚崗漢墓出土。
高34.2厘米。
木胎。由兩半邊分別製作後粘合成
型，帶圓形小蓋。外髹黑漆，并用
朱漆在兩面各繪一牛紋，兩側及蓋
面則繪菱形紋、蟬形紋等紋樣。
現藏廣東省廣州博物館。

七豹紋扁壺

西漢

湖北江陵縣鳳凰山168號
墓出土。
高38.5厘米。
厚木胎。器呈扁橢圓形，
盝頂狀蓋，長方形矮圈
足，肩部有兩鋪首銜環。
器身兩面各漆繪三豹紋，
蓋上亦有一豹。側面繪幾
何紋。
現藏湖北省荊州博物館。

奔鹿雲氣紋扁壺

西漢

江蘇揚州市西湖鄉胡場20號漢墓出土。

高28.7厘米。

木胎。外髹褐漆，朱漆繪紋飾，加灰褐漆勾填，內髹朱漆。蓋頂繪四葉柿蒂，頸繪倒三角形，間飾雲頭，肩繪幾何紋和雲氣紋，左右各繪一奔鹿，中部繪大幅連續雲氣紋。

現藏江蘇省揚州博物館。

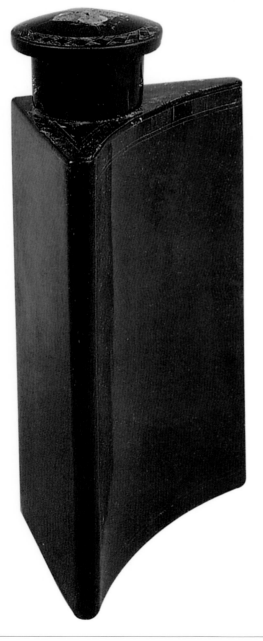

錐畫三角形壺（左圖）

西漢

安徽天長市城南鄉三角圩漢墓出土。

高14厘米。

器蓋頂部貼柿蒂紋。蓋緣及器體肩部、下端邊緣皆錐畫幾何紋樣。

現藏安徽省天長市博物館。

西漢東漢（公元前二〇六年至公元二二〇年）

雲氣紋鈁

西漢

湖南長沙市馬王堆1號墓出土。

高51.5、腹徑23厘米。

木胎。器內髹朱漆，外髹黑漆。器外底部朱漆書"四斗"字樣。

現藏湖南省博物館。

雲氣紋鈁

西漢

湖南長沙市馬王堆3號墓出土。

殘高49.5、腹徑23厘米。

木胎。蓋呈盝頂狀，上有四個"S"形鈕（已殘）。內髹朱漆，外髹黑漆，并以朱漆繪雲氣紋、變形鳥頭紋等紋樣。

現藏湖南省博物館。

雲氣對鳥紋圓盒
西漢

湖北雲夢縣睡虎地47號墓出土。
高18.7、口徑21.2厘米。
木胎。內髹朱漆，外髹黑漆，并
以朱、褐漆繪雲氣紋、變形鳥
紋、幾何紋等紋樣。器外底與蓋
內均有烙印文字，字迹不清。
現藏湖北省博物館。

鳥雲紋圓盒
西漢

湖北江陵縣毛家園1號墓出土。
高36、口徑22.5厘米。
木胎。器表及口沿內、內底正中
與中部一圈髹黑漆，餘皆髹朱
漆。內底正中在黑漆地上以朱、
灰黑無光漆繪鳥雲紋、變形鳥紋
等紋樣；外底部有烙印文字。
現藏湖北省博物館。

西漢東漢（公元前二〇六年至公元二二〇年）

鳳鳥紋圓盒

西漢

湖北江陵縣毛家園1號墓出土。

高19.2、口徑19.6、底徑12.8厘米。

木胎。由蓋與盒身以子母口相扣合而成。內髹朱漆，外髹黑漆，并以朱、淺黃漆繪花紋。器內有"渚陽羅"、"甲"的針刻字。

現藏湖北省博物館。

變形鳥紋盒

西漢

湖北荊州市沙市區肖家草場2號墓出土。

高14.6、口徑15.5厘米。

木胎。器內髹朱漆，外髹黑漆，并以朱漆繪變形鳥紋、捲雲紋、幾何紋、圓點紋等紋樣。

現藏湖北省荊州市沙市博物館。

三鳳紋盒

西漢

湖南長沙市馬王堆1號墓出土。

高19、口徑22厘米。

木胎。內髹朱漆，外髹黑漆、蓋
頂爲朱漆繪三鳳鳥紋，器身則繪
雲氣紋和鳥頭紋。蓋和器內有黑
漆書"君幸食"三字，器底有朱
漆書"六升半升"字樣。

現藏湖南省博物館。

雲氣紋盒

西漢

湖南長沙市望城坡古墳垸漢墓
出土。

高18.4、口徑22厘米。

木胎。由蓋與盒身以子母口扣
合而成。內髹朱漆，外髹黑
漆，并以朱、黄漆繪花紋。

現藏湖南省長沙市文物考古研
究所。

西漢東漢（公元前二〇六年至公元二二〇年）

雲氣紋盒

西漢

湖南長沙市望城坡古墳垸漢墓出土。

高13.5、長23厘米。

木胎。器呈長圓形，以子母口相扣合而成。內髹赭紅色漆，外髹黑漆，并以朱漆繪花紋。內盛放五隻耳杯，皆髹黑漆，并朱繪雲氣紋、水波紋和鳳鳥紋。

現藏湖南省長沙市文物考古研究所。

雲氣紋盒

西漢

安徽潛山縣彭嶺28號墓出土。

高12、口徑18.5、底徑8.2厘米。

陶胎。外髹褐色漆，并以朱紅、黃色漆繪雲氣紋、水波紋等紋樣。

現藏安徽省文物考古研究所。

雲氣紋有柄圓盒

西漢

安徽天長市城南鄉三角圩漢墓出土。
高11.3、腹徑17厘米。
木胎。呈扁球體狀。下有矮圈足。
盒柄已失。内髹朱漆，外髹黑漆，
并朱繪花紋。
現藏安徽省天長市博物館。

朱雀紋盒

西漢

江蘇寶應縣天平鄉前走馬墩漢墓出土。
高22、直徑27厘米。
夾紵胎。盒内套置圓形座，其上鑿三個橢圓形槽，分放
大、中、小形相互套合的耳杯各十隻，上另置套合的漆
盤五隻。各器均内髹朱漆，外髹褐漆。盒蓋頂、内底及
耳杯、盤的内底正中皆以橘紅色繪一朱雀。
現藏江蘇省寶應縣博物館。

朱雀紋盒朱漆紋盒身

西漢東漢（公元前二〇六年至公元二二〇年）

錐畫耳杯盒
西漢
安徽天長市城南鄉三角圩漢墓出土。
高5.5、長徑15.4、短徑11.5厘米。
夾紵胎，呈四出弧曲橢圓形。外髹赭色漆地，錐畫中部的雲氣紋主紋帶和上、下沿的弦紋帶，以朱色點狀紋裝飾其間。
現藏安徽省天長市博物館。

嵌金雲紋梳篦盒
西漢
山東日照市海曲漢墓出土。
高9.4、口徑9.5、底徑9.6厘米。
圓形，盒蓋的器口、邊緣及中腰都使用銀扣。器外壁以黑漆爲地，以朱彩繪製雲紋，并鑲嵌金、銀質動物形象；內壁以朱漆爲地，以黑彩繪製雲紋。
現藏山東省文物考古研究所。

嵌金漆梳篦盒盒蓋

銀扣薄金片飾圓盒盒身

銀扣薄金片飾圓盒

西漢

江蘇揚州市邗江區楊廟鄉倉頡村漢墓出土。

高6.5、口徑8厘米。

夾紵胎。內髹赭色漆，外髹黑漆。蓋頂飾銀箔柿蒂，其上原嵌瑪瑙珠。蓋頂、蓋壁和器身均有銀扣，其間貼金箔，飾山水、流雲、西王母、羽人、青鳥、錦鷄、靈芝等紋樣。

現藏江蘇省揚州市邗江區文物管理委員會。

雲氣紋圓盒

西漢

安徽天長市安樂鄉漢墓出土。

高4.6、口徑6厘米。

夾紵胎。器表黑漆爲地，朱繪雲氣紋，器內壁塗朱漆。

現藏安徽省天長市博物館。

二 ○ 六 年 至 公 元 二 二 ○ 年 ）

西 漢 東 漢 （ 公 元 前

[漆 器]

變形鳥紋雙耳長盒

西漢

湖北雲夢縣睡虎地47號墓出土。

高6.2、長26.5厘米。

由木胎斲製成型。雙耳雕作猪頭狀。內髹朱漆，外髹黑漆，并以朱、褐漆繪蓋面中部的變形鳥紋及雙耳猪眼、鼻、耳等。

現藏湖北省博物館。

雲氣紋具杯盒

西漢

湖南長沙市馬王堆3號墓出土。

高12.2、長19、寬16厘米。

木胎。盒由蓋與器身以子母口相扣合而成。器內套裝耳杯七件，其中六件一一順疊，一件爲反扣，恰好扣合緊密，填充整個空間。器外以朱漆繪雲氣紋于黑褐色漆地上。

現藏湖南省博物館。

"蕃禺"雲氣紋盒蓋

西漢

廣東廣州市西村石頭崗漢墓出土。

長28.3、寬12.3厘米。

木胎。呈長橢圓形。通體髹黑漆，蓋面朱繪雲氣紋圖案，中間有"蕃禺"的針刻字。

現藏廣東省廣州博物館。

薄金片飾圓盒

西漢

江蘇揚州市邗江區甘泉鄉姚莊101號墓出土。

通高7.3、長12、寬6.2厘米。

夾紵胎。內髹朱漆，外髹褐色漆。器蓋、器身均飾金箔神獸紋及雲氣紋紋樣。器身還飾金箔羽人紋，但金箔多已剝落。

現藏江蘇省揚州博物館。

銀扣貼金馬蹄形盒蓋

銀扣貼金馬蹄形盒

西漢

安徽天長市城南鄉三角圩漢墓出土。

高6.5、長8.1、寬5.8厘米。

夾紵胎。由蓋與器身套合而成。蓋頂嵌馬蹄形銀扣和變形三葉銀柿蒂，坡面滿貼三角形金銀箔。器蓋及器身均包鑲三道銀扣，其中又以朱漆繪雲氣紋，并飾金銀箔動物紋樣。

現藏安徽省天長市博物館。

雲紋梳篦盒

西漢

山東日照市海曲漢墓出土。

高4.8、長6.6、寬4.8厘米。

出土時內盛放四個梳篦。馬蹄形，盒與蓋的器口及邊緣使用銀扣，外壁以黑漆爲地，以朱彩繪製雲紋；內壁髹朱漆，無紋。

現藏山東省文物考古研究所。

雲紋梳篦盒蓋

怪神嬉鬥紋盒蓋

西漢

安徽天長市城南鄉三角圩漢墓出土。

長60、寬29.5厘米。

木胎。以黑漆爲地，繪朱、青雙色雲氣紋，其中又以
朱、青色繪兩個擬人化的怪獸形象，并表現其互相嬉
鬥之場景。

現藏安徽省天長市博物館。

雲氣紋長方形盒

西漢

山東日照市海曲漢墓出土。

器表髹黑漆，朱繪雲氣紋。器内壁塗朱漆。

現藏山東省文物考古研究所。

銀扣嵌瑪瑙珠長方形盒

西漢

江蘇連雲港市海州區網疃莊漢墓出土。
高6、長7.7厘米。
夾紵胎。內髹赭紅色漆，外髹黑漆。蓋面嵌平脱四葉紋銀箔，其中原鑲小瑪瑙珠。蓋和器身的上、下端處均飾銀扣。器外壁嵌銀平脱雁、鹿、虎、兔等花紋。
現藏南京博物院。

銀扣貼金箔雲虡紋盒

西漢

江蘇揚州市邗江區楊廟鄉倉頡村漢墓出土。
高6.7、長15.5厘米。
夾紵胎。內髹赭紅色漆，外髹黑漆。蓋面嵌平脱四葉紋銀箔，其中原鑲小圓珠和小鷄心珠，餘則貼飾金箔。器蓋和器身外壁均飾三道銀扣，銀扣之間貼由雲氣、羽人、鳥獸等組成的金箔紋帶。
現藏江蘇省揚州市邗江區文物管理委員會。

獸形盒

西漢

山東萊西市岱野村點將臺2
號墓出土。

高12、長17.5厘米。

木胎，由蓋與器身以子母口
扣合而成，雕製。整體作獸
形，獸首作盒柄，上頜與背
部相連作盒蓋，下頜與腹部
相連作器身，弧壁，平底。
獸首大口暴張，雙睛圓瞪。
內髹朱漆，器表以黑、朱、
黃三色漆描飾仿玳瑁狀花
紋，腹部還勾繪獸之四足。
現藏山東省烟臺市博物館。

鴨嘴盒

西漢

安徽天長市安樂鄉漢墓出土。

高11.5厘米。

木胎。由蓋和底兩部分組成。器口平，圜底，矮圈
足。內髹朱漆，外髹黑漆，并朱繪雲、龍、鳳鳥、神
仙等紋樣。柄作鴨嘴張開狀，由上下喙榫接而成，朱
繪鴨頭細部。

現藏安徽省博物館。

魚形盒

西漢
山東日照市海曲漢墓出土。
長32.8、寬9.7、高10.4厘米。
通體施黑色陶衣，以紅褐彩繪魚鱗紋。
現藏山東省文物考古研究所。

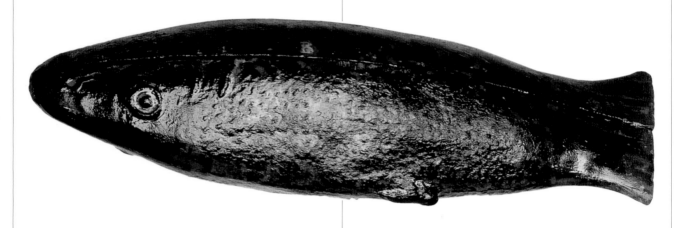

雲氣紋笥

西漢
江蘇揚州市邗江區甘泉鄉姚莊101號墓出土。
高12.9、長30.7、寬15.5厘米。
木胎。長方形，盝頂狀。由蓋與器身相套合而成。內
髹朱紅漆，外髹醬紫色漆，并以朱紅、灰綠及赭色漆
繪花紋。
現藏江蘇省揚州博物館。

雲氣紋笥

西漢

江蘇揚州市西湖鄉胡場17號漢墓出土。

長24.6、寬10.5、高11.4厘米。

木胎。通體髹褐色漆，以朱漆和灰綠漆繪大幅的勾連雲氣紋，并以幾何紋作邊飾。

現藏江蘇省揚州博物館。

"鮑一笥" 笥

西漢

江蘇揚州市西湖鄉胡場1號漢墓出土。

高11.9、長28.1、寬13.6厘米。

木胎。内髹朱漆，外髹褐色漆，并以朱紅和灰綠色繪流雲紋及邊緣的幾何紋樣。蓋壁一側有朱漆"鮑一笥"的隸書字。

現藏江蘇省揚州博物館。

[漆 器]

西漢東漢（公元前二〇六年至公元二二〇年）

雲氣走獸紋笥

西漢

江蘇揚州市西湖鄉胡場20號墓出土。

高11.6、長30.5、寬14.2厘米。

木胎。由底、蓋兩部分組成。通體髹朱漆地，并以金黄和墨綠色漆繪雲氣紋、幾何紋等紋樣。蓋頂還繪有雲間走獸紋。器側面朱書"梅栗一笥"四字。

現藏江蘇省揚州博物館。

雲氣瑞獸紋三足尊

西漢

江蘇揚州市西湖鄉胡場漢墓出土。

高21.5、口徑22厘米。

木胎。內髹朱漆，外髹褐色漆，并朱繪流動的雲氣紋及上下緣的幾何紋樣。器底三蹄足亦朱繪獸面。

現藏江蘇省揚州博物館。

雙龍紋尊

西漢

湖北雲夢縣睡虎地47號墓出土。

高19、口徑10.8、蓋徑12.5厘米。

木胎。由蓋與器身相套合而成。器壁直，單環形耳、底附三銅質蹄足。蓋頂黑漆地上以朱、褐漆繪雙龍紋間變形鳥頭紋。器內髹朱漆。

現藏湖北省博物館。

錐畫"漆布小卮"

西漢

湖南長沙市馬王堆1號墓出土。

高11、口徑9厘米。

該墓遣策稱其爲"漆布小卮"。麻布胎。蓋及耳上裝有塗金銅環。器表錐畫雲氣、仙人、异獸紋，并加朱彩勾點，使畫面更加美麗。

現藏湖南省博物館。

雲氣紋"七升"卮

西漢

湖南長沙市馬王堆3號墓出土。

高16、口徑15.2厘米。

木胎。內髹朱漆，外髹黑漆，并以朱、赭色漆繪雲氣紋、捲雲紋等紋樣。器內及底部分別有黑漆書"君幸酒"和朱漆書"七升"字樣。

現藏湖南省博物館。

"二升"卮

西漢

湖南長沙市馬王堆3號墓出土。

高8.5、口徑9厘米。

木胎。器裏在朱漆地上以黑漆書"君幸酒"三字，器底部則在黑漆地以朱漆書"二升"字樣。

現藏湖南省博物館。

鳥雲紋雙耳巵

西漢

湖北江陵縣鳳凰山168號墓出土。

高22、口徑20厘米。

木胎。由蓋與器身相套合而成，
外壁有對稱的雙環耳。內髹朱
漆，雙耳朱繪饕餮紋。器外底有
"市府飽"、"成市草"、"成
市飽"等烙印字。

現藏湖北省荆州博物館。

點紋巵

西漢

湖北江陵縣毛家園1號墓出土。

高8、口徑8.2厘米。

木胎。直壁，平底，單環形木製
耳。內髹朱漆，外髹黑漆，并以
朱漆繪排點紋、雲紋和帶紋。

現藏湖北省博物館。

西漢東漢（公元前二○六年至公元二二○年）

雲氣紋卮

西漢

山東臨沂市銀雀山漢墓出土。

高10.1、口徑10.5厘米。

木胎。內髹朱漆，外髹黑漆，并以朱、黄漆繪流雲紋主體紋樣。器側有一單環形鋬。

現藏山東省臨沂市銀雀山漢墓竹簡博物館。

雲氣紋卮

西漢

江西揚州市西湖鄉胡場17號漢墓出土。

高11.1、口徑10厘米。

木胎。器外滿髹黑漆地，朱漆繪大幅雲氣紋，正背面雲氣中各飾一張牙舞爪的立獸；蓋側面繪雲雷幾何紋，頂面繪雙圈雲氣紋，以幾何紋作隔，中心飾一舞獸。

現藏江蘇省揚州博物館。

銀扣雲氣紋卮
西漢
安徽巢湖市放王崗呂柯墓出土。
高14、口徑12.2厘米。
夾紵胎。器身、器蓋均有三道銀扣，
器蓋中央爲銀質柿蒂形鈕座，器側有
一塗金銅扣、底有三個塗金銅蹄足。
器表皆髹黑漆爲地，朱繪雲氣紋、幾
何紋等紋樣。
現藏安徽省巢湖市文物管理所。

錐畫雲龍紋卮
西漢
江蘇揚州市西湖鄉胡場14號漢墓出土。
高11、口徑9.2厘米。
夾紵胎。器身一側有銅扣。通體髹褐
漆。器外壁錐畫大幅雲氣紋，兩條變體
龍紋遨游其間。蓋頂亦錐畫雲氣紋。
現藏江蘇省揚州博物館。

西漢東漢（公元前二〇六年至公元二二〇年）

針刻戧金龍鳳動物紋卮
西漢
湖北老河口市五座墳3號墓出土。
高10.5、口徑9.6厘米。
木胎。内髹朱漆，外髹褐漆。綫條爲針刻
戧金，蓋上刻龍紋，蓋内刻鳳紋，器外壁
爲虎、鶴、兔、鳥及神人雲紋等紋樣。
現藏湖北省博物館。

針刻戧金龍鳳動物紋卮器蓋

錐畫雲氣紋卮

西漢

安徽天長市安樂鄉漢墓出土。

高10.1、蓋徑9.3厘米。

夾紵胎。通體髹黑漆。蓋頂錐畫對稱的龍
紋、雲氣紋，其四周錐畫菱形幾何紋。器身
中部爲雲氣紋的主紋帶。此器錐畫紋飾細膩
流暢，宛若游絲。

現藏安徽省天長市博物館。

雲氣紋奩

西漢

湖南長沙市馬王堆1號墓出土。

高15、口徑34厘米。

木胎。器外和器内底部中心均髹黑褐色漆爲地，并以朱
色和灰緑色漆繪花紋。

現藏湖南省博物館。

錐畫狩獵紋奩

西漢

湖南長沙市馬王堆3號墓出土。

高17.2、口徑28厘米。

夾紵胎。器表黑漆地上錐畫花紋。蓋面爲雲氣紋，器外壁爲山、水、雲、鳥、魚、神人乘龍及狩獵圖等。

現藏湖南省博物館。

雲氣紋奩

西漢

廣西貴港市羅泊灣1號漢墓出土。

高7、口徑13.5厘米。

木胎。內髹朱漆，外髹黑漆，并以朱漆繪雲氣紋、變形龍紋、弦紋、點紋等紋樣。

現藏廣西壯族自治區博物館。

銀扣貼金銀奩蓋

銀扣貼金銀奩

西漢

安徽天長市城南鄉三角圩漢墓出土。

高9.5、口徑9.9厘米。

夾紵胎。由蓋與器身相套合而成。蓋面中心嵌銀質柿蒂，蓋、身各飾三道銀扣。器外表髹黑漆，并朱繪雲氣紋帶，每層紋帶上等距鑲貼四金四銀動物圖案，動物身上又施漆繪裝飾。

現藏安徽省天長市博物館。

鳳紋圓奩蓋

西漢

湖北荊州市沙市區二龍戲珠43號墓出土。

通高7、蓋徑14.5、口徑13.5厘米。

木胎。外髹黑漆，其中心朱繪一獸首、鳥身、蹄足、變形捲雲紋狀羽翼的鳳鳥紋，周邊飾點紋。

現藏湖北省荊州市沙市博物館。

西漢東漢（公元前二〇六年至公元二二〇年）

鳳鳥紋奩底
西漢
江蘇揚州市西湖山頭2號漢墓出土。
底徑28.2厘米。
底部中心圓內繪一隻昂首疾走的鳳鳥，旁邊漆書"李"字。
現藏江蘇省揚州博物館。

雲紋雙層奩
西漢
湖南長沙市馬王堆3號墓出土。
高16.9、口徑24.1厘米。
夾紵胎。蓋、上層和底的外壁均繪油彩雲紋。
現藏湖南省博物館。

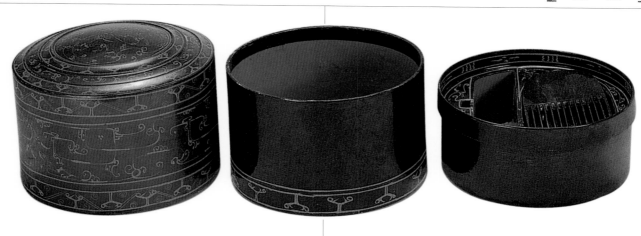

雙層奩

西漢

江蘇揚州市邗江區甘泉鄉六里村左莊漢墓出土。

高12、直徑13.5厘米。

夾紵胎。由蓋及上、下層三部分套合而成。器蓋中心朱漆繪三辟邪紋。上層作圓臺形，內分三小格，出土時馬蹄形格內放置木梳及箆五件。

現藏江蘇省揚州市邗江區文物管理委員會。

動物紋三子奩

西漢

江蘇揚州市邗江區甘泉鄉六里村左莊漢墓出土。

高11.2、直徑15厘米。

夾紵胎。由蓋與器身套合而成，內有三子奩。蓋頂飾銀箔柿蒂，蓋面和蓋壁貼有銀箔怪獸紋和虎紋。

現藏江蘇省揚州市邗江區文物管理委員會。

動物紋三子奩蓋

薄銀片飾三子奩

西漢

江蘇揚州市西湖鄉胡場17號漢墓出土。

高12.8、口徑15.5厘米。

夾紵胎。由蓋、器身兩部分套合而成，内置三個小奩。內髹朱漆，外髹黑漆，并以朱和灰綠色漆繪花紋。蓋頂中心飾銀箔柿蒂，周圍貼三銀箔虎，蓋壁貼鳳凰、猛獸及羽人騎獸圖案的銀箔。

現藏江蘇省揚州博物館。

銀扣薄金片飾嵌珠四子奩

西漢

江蘇揚州市邗江區楊廟鄉倉頡村漢墓出土。

高15.5、口徑22.5厘米。

夾紵胎。蓋頂中部爲六出銀柿蒂，嵌珠均已脱落。器外飾銀扣，并貼以金箔，形成雲氣紋、羽人及各種鳥獸形象的紋樣。

現藏江蘇省揚州市邗江區文物管理委員會。

銀扣薄金片飾嵌珠奩蓋

銀扣描金五子奩

西漢

安徽天長市城南鄉三角圩漢墓出土。

高23.8、口徑15厘米。

夾紵胎。由一圓柱形奩和五件子盒套裝而成。奩蓋頂中心嵌銀箔柿蒂紋，周邊及奩身均飾銀扣，其間髹赭色地，以朱漆加描金彩繪花紋。五件子盒製作工藝、裝飾手法同于奩。奩蓋內頂黑漆繪一"S"形獨角游龍。

現藏安徽省天長市博物館。

貼銀箔五子奩

西漢

山東臨沂市金雀山漢墓出土。

高14、口徑19.3厘米。

夾紵胎。由蓋與奩身相套合而成、內裝五個小漆盒。奩蓋頂部嵌柿蒂形和四獸形銀箔，奩蓋外壁亦嵌有三獸形銀箔。各器均內髹朱漆，外髹棕色漆，并以朱漆繪流雲紋、鳥紋、弦紋等紋樣。

現藏山東省臨沂市博物館。

銀扣薄金銀片飾七子奩
西漢

江蘇揚州市邗江區甘泉鄉姚莊101號漢墓出土。

高14.5、口徑22.5厘米。

木胎。蓋頂中部嵌六出圖案，其中原鑲紅瑪瑙珠。器外飾銀扣，并以金銀箔加彩繪構成雲氣、山水、羽人祝壽、車馬出巡及狩獵、鬥牛、六博、聽琴等圖案。

現藏江蘇省揚州市邗江區文物管理委員會。

銀扣薄金銀片飾七子奩蓋

薄銀片飾七子奩

西漢

江蘇揚州市西湖鄉胡場漢墓出土。

高13.2、口徑21.4厘米。

夾紵胎。由蓋和器身套合而成、內有七隻形態各異的子奩。各器均內髹朱漆，外髹褐漆，并以赭色漆繪花紋。大奩蓋頂和蓋壁分別貼有四隻和三隻銀箔獸紋。

現藏江蘇省揚州博物館。

雙層九子奩

西漢

湖南長沙市馬王堆1號墓出土。

高20.8、口徑35.2厘米。

蓋和壁爲夾紵胎、底爲斲木胎。器分上、下二層，下層底板上鑿出九個凹槽，分放九個小奩。器表均髹褐色漆爲地，上貼箔金，再施金、白、朱色油彩繪雲氣紋。器內裝有各種化妝和梳妝用品。

現藏湖南省博物館。

西漢東漢（公元前二○六年至公元二二○年）

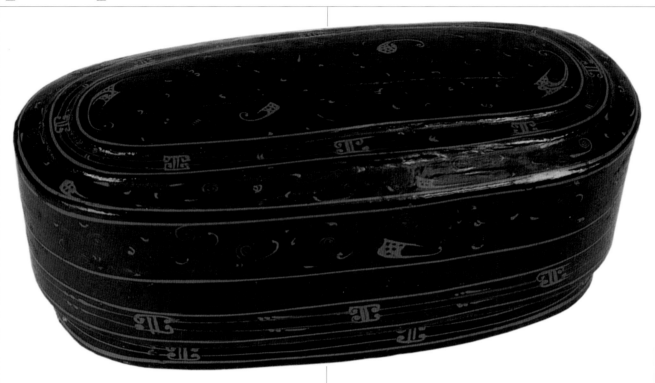

雲氣紋橢圓奩
西漢
湖北江陵縣鳳凰山167號墓出土。
高8、長15.5、寬7.5厘米。
木胎。由蓋與器身套合而成。器內髹朱漆，外髹黑漆，
并以朱漆繪花紋。
現藏湖北省荊州博物館。

堆漆雲氣紋長方奩
西漢
湖南長沙市馬王堆3號墓出土。
高21、長48.5、寬25.5厘米。
夾紵胎。呈長方形，盝狀頂。內髹朱漆，外髹黑漆，并
以漆粉堆起的白色綫條勾畫出雲氣紋，再以朱、黃、藍
色粉彩填充。
現藏湖南省博物館。

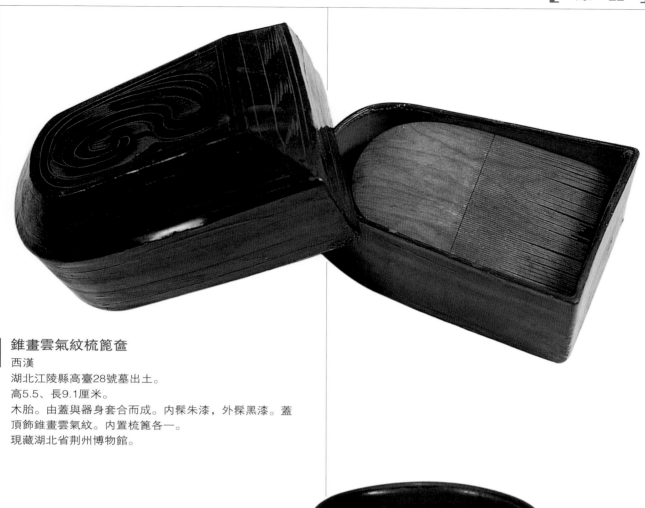

錐畫雲氣紋梳箆奩

西漢

湖北江陵縣高臺28號墓出土。

高5.5、長9.1厘米。

木胎。由蓋與器身套合而成。內髹朱漆，外髹黑漆。蓋頂飾錐畫雲氣紋。內置梳箆各一。

現藏湖北省荊州博物館。

錐畫雲紋罐

西漢

江蘇揚州市邗江區甘泉鄉姚莊漢墓出土。

高6.9厘米。

夾紵胎。內髹朱漆，外髹淡褐漆。器用錐畫技法進行裝飾，以雲氣紋爲主題紋飾，輔以籬草紋、菱形紋，斜十字紋、鋸齒紋、錐狀紋等，全器自上而下組合成九道幾何圖案紋飾帶。

現藏江蘇省揚州博物館。

朱雀紋碗

西漢

江蘇揚州市西湖鄉胡場1號漢墓出土。

高7、口徑15厘米。

木胎。器表及内口沿髹黑褐色漆，餘皆髹朱漆。内底部以黑漆繪三隻首尾銜接的呈鼎足狀分布的朱雀，并外繪兩道弦紋，形成圓形圖案。

現藏江蘇省揚州博物館。

銅扣碗

西漢

安徽天長市安樂鄉漢墓出土。

高5.8、腹徑14.4、底徑7.8厘米。

木胎。器口微斂，呈圓形，下有矮圈足。器身一側飾一青銅扣。通體髹黑漆，顏色光亮。

現藏安徽省天長市博物館。

立鶴銜草紋匜

西漢

湖北江陵縣鳳凰山167號墓出土。

高13、長33.3厘米。

木胎。內壁朱漆地上以黃色繪四隻銜草葉作回首狀的立鶴，內底正中飾捲雲紋。器表外口沿的點紋條帶下再飾一周變形鳥紋。

現藏湖北省荊州博物館。

立鶴銜草紋匜內底

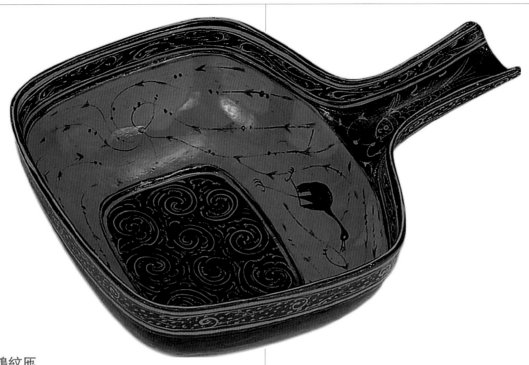

雲氣魚鶴紋匜

西漢

江蘇揚州市邗江區楊廟鄉王廟村漢墓出土。

高13、長35厘米。

木胎。內髹赭紅色漆，外皆髹黑漆。器內腹部以金、黃、黑漆繪立鶴、游魚和水草紋。流內在黑漆地上朱繪一魚紋。

現藏江蘇省揚州市邗江區文物管理委員會。

雲氣紋匜

西漢

湖南長沙市馬王堆1號墓出土。

長27.5、寬23厘米。

木胎。口沿內外在黑漆地上朱繪雲氣紋。器底中部朱漆書"軑侯家"三字，右上隱約可見"成市草"的烙印戳記。

現藏湖南省博物館。

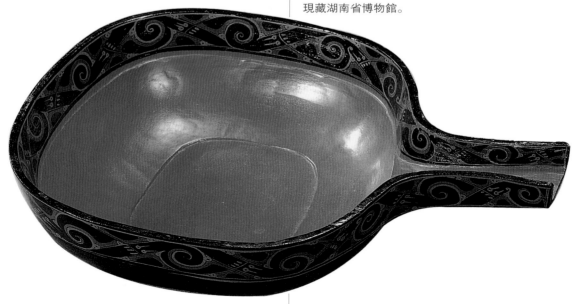

錐畫篦點紋杯

西漢
江蘇揚州市西湖鄉胡場15號漢墓出土。
高4.9、口徑9.8厘米。
夾紵胎。器身一側飾銅扣。内髹朱漆，外髹褐漆。外口
沿錐畫弦紋、篦紋，間飾朱漆點紋。外底朱漆書"千
秋"篆字銘。
現藏江蘇省揚州博物館。

變形鳥紋耳杯

西漢
湖北江陵縣毛家園1號墓出土。
高6.2、長21厘米。
木胎。口沿内與器外髹黑漆，餘皆髹朱漆。口沿内以朱
漆繪變形鳥紋，口沿外與兩耳繪波折紋、圓圈紋。
現藏湖北省博物館。

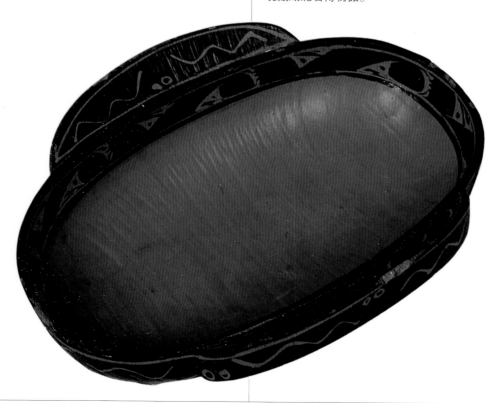

變形鳥紋耳杯

西漢
湖北江陵縣毛家園1號墓出土。
高5、長18、寬13.7厘米。
木胎。內髹朱漆，口沿、耳部及器表髹黑漆，口沿內外
及兩耳均以朱漆繪花紋。
現藏湖北省博物館。

三魚紋耳杯

西漢
湖北江陵縣毛家園1號墓出土。
高4.1、長21.2、寬16厘米。
木胎。通體髹黑漆，內底中部以朱、金及藍色粉彩繪一
隻鳳鳥及三條游魚紋。
現藏湖北省博物館。

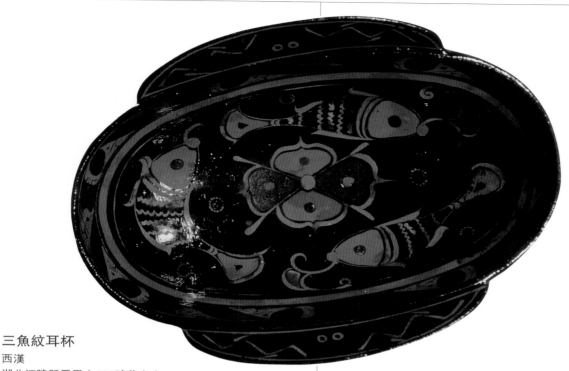

三魚紋耳杯

西漢

湖北江陵縣鳳凰山168號墓出土。

高4.7、長20.7厘米。

木胎。通體髹黑漆，以朱、金黃等色漆繪花紋。內底以花瓣爲中心飾三游魚紋，器耳及外口沿均飾單綫波折紋和圈點紋。

現藏湖北省荊州博物館。

鳥雲紋耳杯

西漢

湖北江陵縣鳳凰山167號墓出土。

高4.3、長13.5厘米。

木胎。器內髹朱漆，餘皆髹黑漆，耳外側朱繪單綫波折紋。

現藏湖北省荊州博物館。

西漢東漢（公元前二○六年至公元二二○年）

草葉紋耳杯
西漢
湖北雲夢縣睡虎地47號墓出土。
高6、長19.2、寬15厘米。
木胎。內髹朱漆，餘皆髹黑漆。內底以黑漆勾勒草葉紋等紋樣，再填以金粉。外底有針刻的"×"符號。
現藏湖北省博物館。

雲紋耳杯
西漢
湖北雲夢縣睡虎地47號墓出土。
高5.5、長18.2、寬14厘米。
木胎。通體髹黑漆，口沿內外及雙耳彩繪變形鳥紋、波折紋、雲紋等紋樣。耳下有"亭"烙印字。
現藏湖北省博物館。

魚紋耳杯

西漢

湖北荊州市沙市區周家臺35號墓出土。

高4.5、長14.9、寬12.3厘米。

木胎。通體髹黑漆、內底正中用朱、褐漆繪一魚紋，其外朱漆飾一環帶，環帶與口沿之間飾水草紋。

現藏湖北省荊州市沙市博物館。

耳杯

西漢

湖北雲夢縣大墳頭1號墓出土。

高4.5、口徑16.5厘米。

夾紵胎。器呈橢圓形，小平底，半月形耳。通體髹黑漆，無紋飾。

現藏湖北省博物館。

"君幸酒" 四升耳杯

西漢

湖南長沙市馬王堆1號墓出土。

高7.3、長24、寬17.8厘米。

木胎。內底中心以黑漆書"君幸酒"，耳背黑漆地上則以朱漆書"四升"二字。

現藏湖南省博物館。

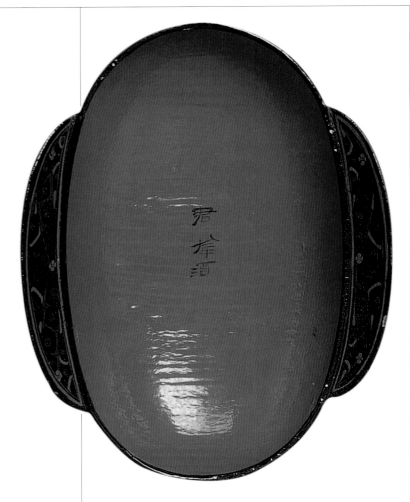

"長沙王后家" 耳杯

西漢

湖南長沙市馬王堆漢墓出土。

高2.7、長11.4厘米。

淺赭色地，黑漆繪雲鳥紋，一側近底部書寫"長沙王后家杯"六字。

現藏中國國家博物館。

龍紋"君幸酒"耳杯

西漢

湖南長沙市馬王堆1號墓出土。

高7.3、長24厘米。

木胎。杯內朱漆地上以黑漆繪四條抽象的藤蔓式
龍紋、內底中心有"君幸酒"的隸書字樣。耳上
以朱、赭漆繪幾何雲紋。

現藏湖南省博物館。

鳳鳥紋"漁陽"耳杯外底

鳳鳥紋"漁陽"耳杯

西漢

湖南長沙市望城坡古墳垸漢墓出土。

高6.2、長19.9、寬16.1厘米。

木胎。內髹朱漆，外髹黑漆，并在器表和耳部朱繪雲氣
紋、兩兩相對的鳳鳥紋等紋樣。外底刻"漁陽"二字。

現藏湖南省長沙市文物考古研究所。

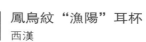

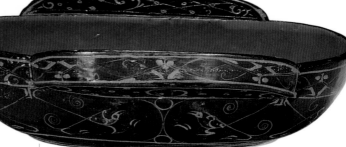

西漢東漢（公元前二〇六年至公元二二〇年）

"莒盈" 耳杯

西漢
山東臨沂市金雀山31
號漢墓出土。
高4.2、長13.8厘
米。
木胎。內髹朱漆爲
地，以黑漆繪鳳鳥、
花草及雲氣紋，并填
金。器外髹褐色漆，
壁上有朱漆書"莒盈"
二字。
現藏山東省臨沂市博
物館。

鳳鳥紋 "黃氏" 耳杯

西漢
安徽霍山縣迎駕廠漢
墓出土。
高3.5、長12.2厘
米。
木胎。內髹朱漆，外
髹黑漆。內底以黑漆
繪一隻形象逼真的鳳
鳥。耳下有"黃氏"
的烙印字。
現藏安徽省霍山縣博
物館。

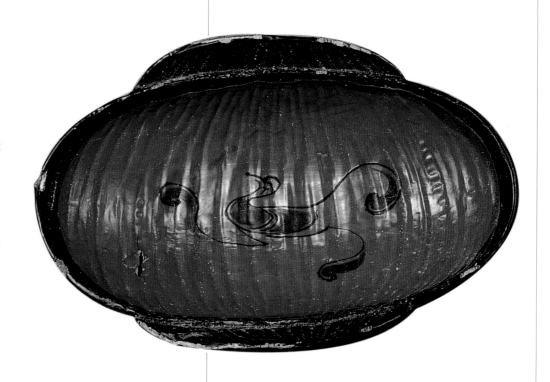

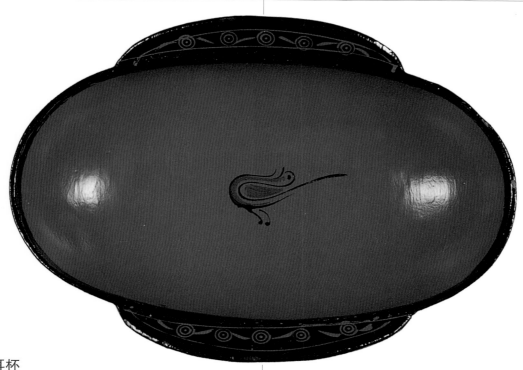

鳳鳥紋耳杯

西漢

湖北江陵縣高臺28號漢墓出土。

高4.2、長14.6厘米。

木胎。器內底正中黑漆繪一小鳥，僅寥寥幾筆，却生動傳神、活靈活現。耳面朱繪連續的渦紋。

現藏湖北省荊州博物館。

雲氣紋耳杯

西漢

湖北江陵縣高臺28號漢墓出土。

高4.5、長16.4厘米。

木胎。器內髹朱漆，餘皆髹黑漆。耳面朱繪單綫波折紋。內底則以黑漆繪四組"S"形捲雲紋，綫條纖細。

現藏湖北省荊州博物館。

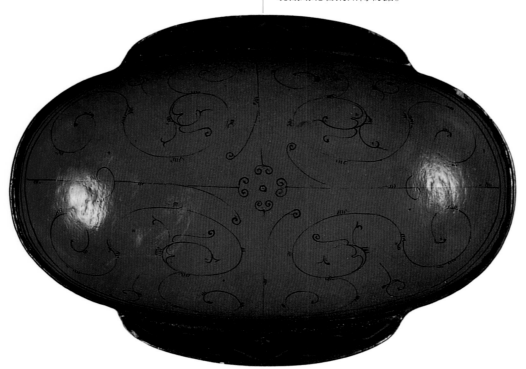

錐畫雲氣紋耳杯

西漢

江蘇揚州市維揚區西湖鄉
蜀崗村漢墓出土。

高4.4、長14.2、寬11.4
厘米。

夾紵胎。器內腹部髹朱
漆，餘皆髹褐色漆。兩耳
上及口沿錐畫二方連續的
篦紋綫條，杯內底錐畫
"S"狀變形雲紋。

現藏江蘇省揚州博物館。

變形鳥紋耳杯

西漢

安徽巢湖市放王崗呂柯墓
出土。

長17.8、寬10.5厘米。

木胎。通體髹黑漆地，以
朱漆和灰綠漆彩繪器內的
變形鳥紋、雙耳上的三角
雲紋和器外的幾何紋。

現藏安徽省巢湖市文物管
理所。

"米"字耳杯

西漢

山東蒼山縣向城馬前墟溝村漢墓出土。

高5.4、長17.5厘米。

木胎。內底、口沿及器表均髹黑漆。內髹朱漆，黑漆書
"米"字。

現藏山東省蒼山縣文物管理所。

夔紋耳杯

西漢

江蘇揚州市邗江區甘泉鄉姚莊漢墓出土。

高4.8、長15.5厘米。

木胎。器髹褐漆，用朱、黃、褐和黑漆在雙耳及口沿
等處繪連續幾何紋和不規則的弧綫紋等。器內壁飾夔
龍紋。

現藏江蘇省揚州博物館。

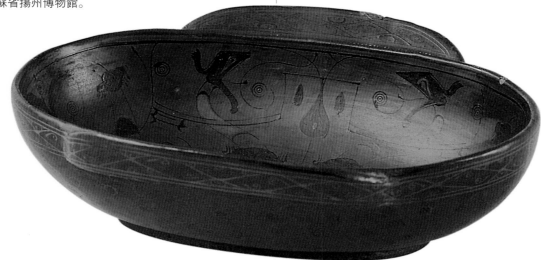

夔紋耳杯

西漢

江蘇揚州市邗江區甘泉鄉姚莊漢墓出土。

高4.9、口徑15.4厘米。

木胎。通體髹褐漆爲地，以黑、灰黑和黃色漆繪花紋。
器内壁飾四組夔紋，并以細綫紋和圈點紋分隔，内底飾
四瓣花葉紋。

現藏江蘇省揚州博物館。

塗金銅扣耳杯

西漢

江蘇揚州市邗江區甘泉鄉姚灣村秦莊漢墓出土。

高6、長17.3、寬14厘米。

木胎。兩耳爲塗金銅扣。内髹赭紅色漆，外髹黑漆，并
在口沿和腹部朱繪渦紋、鳥紋紋樣。

現藏江蘇省揚州市邗江區文物管理委員會。

塗金花紋耳杯

西漢

江蘇揚州市邗江區甘泉鄉六里村左莊漢墓出土。

高5.1、長16.7厘米。

木胎。器腹內及底部髹朱漆，餘皆髹黑漆。內部以金色繪柿蒂紋和雲氣紋，并以黑漆勾邊。兩耳朱繪渦紋和草葉紋。

現藏江蘇省揚州市邗江區文物管理委員會。

龍鳳紋耳杯

西漢

江蘇連雲港市海州區西漢侍其繇墓出土。

高4.1、長14.4、寬1.9厘米。

夾紵胎。內口沿及器外皆髹黑漆。器內腹部髹朱漆。內底黑漆地上飾錐畫的龍鳳紋，其外側朱繪雙點紋并間以錐畫直綫紋。

現藏南京博物院。

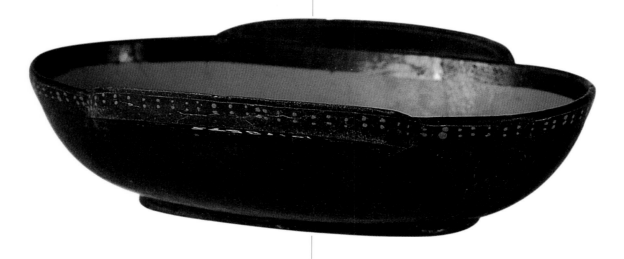

同心圓紋耳杯

西漢

江蘇儀徵市龍河鄉張集漢墓出土。

高5.6、長15.7、寬13.5厘米。

木胎。內口沿、器外髹棕褐色漆，器內髹朱紅漆。器耳及外口沿均由朱繪同心圓紋和黑漆繪單綫波折紋組成紋樣，器外腹壁飾簡化雲氣紋。

現藏南京博物院。

銅座耳杯

西漢

江蘇儀徵市龍河鄉雙壇村漢墓出土。

通高15、長20、寬15.5厘米。

銅座上承木胎耳杯。杯通體皆髹醬紫色漆，外壁飾有雲氣紋、雞心紋和獸紋。兩耳沿原鑲銅扣。

現藏南京博物院。

"陳抵卿第一"耳杯

西漢

安徽天長市安樂鄉漢墓出土。
高3.4、長12.3、寬10.5厘米。
木胎。通體髹黑褐色漆，素面，器外底部朱漆書"陳抵卿第一"五字竪式隸書款。
現藏安徽省博物館。

雲氣紋耳杯

西漢

安徽天長市安樂鄉漢墓出土。
高5.8、長15厘米。
木胎。器内髹朱漆，外髹黑漆，并以朱漆繪雲氣紋、鳥紋、弦紋紋樣。
現藏安徽省博物館。

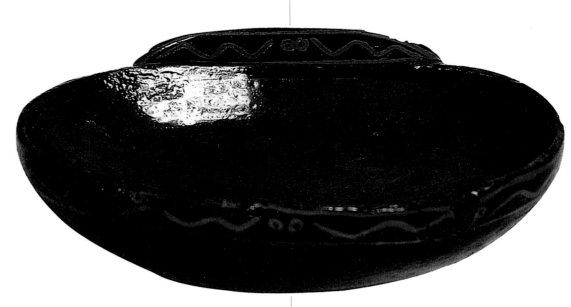

"惡"字耳杯

西漢

廣東廣州市東山猫兒崗漢墓出土。

長12.7厘米。

木胎。內髹朱漆，餘皆髹黑漆。杯側有"水"朱漆字。
外底正中朱漆書漆工名款"惡"字。

現藏廣東省廣州市文物考古研究所。

雲紋盂

西漢

湖北江陵縣毛家園1號墓出土。

高8.4、口徑25.6厘米。

木胎。器口微敞，口沿部內凹，在黑漆地上以朱、黃漆繪
雲紋、鳥頭形紋、菱形紋等紋樣。外部有針刻符號。

現藏湖北省博物館。

點紋盂

西漢

湖南長沙市馬王堆1號墓出土。

高9.3、口徑25厘米。

木胎。器直口，圓唇，深腹，平底，矮圈足。在黑漆地
上朱繪點紋及雲紋。

現藏湖南省博物館。

雲氣紋盂

西漢

江蘇揚州市邗江區甘泉鄉姚灣村秦莊漢墓出土。

高9、口徑24厘米。

木胎。器內腹部髹朱漆，餘皆髹黑漆。內底黑漆地上朱
繪雲氣紋。

現藏江蘇省揚州市邗江區文物管理委員會。

雲氣鉢

西漢

江蘇揚州市西湖鄉胡場20號漢墓出土。

高16.2、口徑17.6厘米。

木胎。器外壁飾雲氣紋、弦紋和鋸齒紋，器內底飾雲氣紋和變體虎紋。

現藏江蘇省揚州博物館。

素面盤

西漢

湖北雲夢縣大墳頭1號墓出土。

高6.5、盤徑27厘米。

夾紵胎。通體髹黑漆，素潔無紋。

現藏湖北省博物館。

雲紋盤

西漢

湖北江陵縣毛家園1號墓出土。

高7、口徑46.8厘米。

木胎。內髹朱漆，外髹黑漆。外底有烙印文字和針刻
符號。

現藏湖北省博物館。

變形鳥紋盤

西漢

湖北江陵縣毛家園1號墓出土。

高3.8、口徑22.1厘米。

木胎。器沿平且外折，斜腹
內收，平底。內髹朱漆，外
髹黑漆，并以朱、褐漆繪花
紋。外底有烙印文字。

現藏湖北省博物館。

西漢東漢（公元前二〇六年至公元二二〇年）

雲氣紋平盤

西漢

湖北江陵縣鳳凰山167
號墓出土。

高4.2、直徑46.7厘米。
木胎。器沿平，直壁，
平底，矮圈足。口沿上
部飾波折紋和點紋，內
壁飾幾何形環帶紋，內
底飾雲紋和變形鳥紋構
成的環帶。

現藏湖北省荊州博物館。

變形鳥紋圓盤

西漢

湖北荊州市沙市區肖家
草場26號墓出土。

高3.8、口徑22.4厘米。
木胎。器敞口，平沿外
折，淺盤，平底。通體髹
黑漆，并以朱漆繪花紋。
盤外壁亦繪變形鳥紋。
現藏湖北省荊州市沙市
博物館。

雲龍紋盤

西漢

湖南長沙市馬王堆1號墓
出土。

高4.5、口徑53.6厘米。

木胎。盤內髹朱、黑漆各
兩組，以朱、灰綠等色繪
雲龍紋。口沿上繪波折
紋，底部有以朱漆書寫的
"軑侯家"三字。

現藏湖南省博物館。

"君幸食"盤

西漢

湖南長沙市馬王堆1號墓
出土。

高3.2、口徑18.5厘米。

盤內髹朱漆，盤外髹黑
漆。盤內中心部分爲黑
地，繪捲雲紋四組，捲
雲紋中間以朱漆書"君
幸食"三字。

現藏湖南省博物館。

雲氣鳥頭紋盤

西漢

湖南長沙市望城坡古壩垸漢墓
出土。

高4、口徑12.9厘米。

木胎。器沿平且外折，淺腹，圈
足。內髹朱漆，外髹黑漆。盤心
以黑漆爲地朱繪雲氣紋和鳥頭紋
紋樣。

現藏湖南省長沙市文物考古研
究所。

對鳥紋盤

西漢

山東臨沂市金雀山10號墓出土。

高3.3、口徑17.4厘米。

木胎。器沿平且外折，弧壁，
淺腹，平底。內底圓心髹朱
漆，以黑漆繪兩隻相對而立的
小鳥。器外髹黑漆，并以朱漆
繪捲雲紋和弦紋。

現藏山東省臨沂市博物館。

雲氣紋盤
西漢
湖北江陵縣高臺28號漢墓出土。
高3、口徑18厘米。
木胎。器敞口，平沿，弧壁，
小平底。器外皆髹黑漆地。
現藏湖北省荊州博物館。

龍鳳紋盤
西漢
湖北江陵縣高臺漢墓出土。
高5.5、直徑25.8厘米。
木胎。圓底，外髹黑漆、內髹
紅漆并以淺紅、深藍、金藍彩
繪龍紋，間飾三隻鳳鳥。
現藏湖北省荊州博物館。

西漢東漢（公元前二〇六年至公元二二〇年）

雲氣紋平盤
西漢
湖北江陵縣高臺2號漢墓
出土。
高4.6、口徑54厘米。
木胎。器直壁，平底，矮
圈足。口沿上朱繪單綫波
折紋、内底黑漆地上皆朱
繪小捲雲紋和點紋。
現藏湖北省荆州博物館。

雲氣紋盤
西漢
江蘇揚州市邗江區楊廟鄉楊廟村漢墓出土。
高4、口徑23厘米。
木胎。敞口，平沿，弧腹，大平底。器外皆髹黑漆。内
底黑漆地上朱繪雲氣紋、鳥頭紋。
現藏江蘇省揚州市邗江區文物管理委員會。

龍紋盤

西漢

安徽天長市城南鄉三角圩漢墓出土。

高2.5、口徑13.6厘米。

夾紵胎。器敞口，斜壁內收，平底。內口沿及器表均髹
黑漆，朱繪花紋。盤內側髹朱漆，并以黑漆繪三隻獨角
四爪龍紋。

現藏安徽省天長市博物館。

"丙"字盤

西漢

安徽天長市漢墓出土。

高5.3、口徑23厘米。

夾紵胎。通體髹黑漆。器
外底中部有朱漆的"丙"
字隸書款。

現藏安徽省博物館。

幾何紋盤

西漢

江蘇揚州市西湖鄉胡場漢墓出土。

高3.7、口徑15厘米。

木胎。器内腹髹朱漆，餘皆髹醬紫色漆。内底以朱紅、灰綠等色漆繪雲氣紋，口沿部朱繪弦紋、幾何紋和同心圓紋。

現藏江蘇省揚州博物館。

"大官"鎏金銅扣盤

西漢

江蘇鹽城市三羊墩西漢墓出土。

高6.5、口徑27厘米。

夾紵胎。口沿鑲鎏金銅扣。器外和器内上半部分均髹黑漆，并飾闊帶式雲紋。器内下半部分則髹赭色漆，内底黑漆地上飾以雲紋間隔的三熊紋。器内、外底中部均隸書"大官"二字，内底邊緣亦隸書"上林"二字。

現藏南京博物院。

雲鳥紋方平盤

西漢

湖北江陵縣鳳凰山168號墓出土。

高4.7、長71.2、寬43.2厘米。

木胎。盤外與內壁髹黑漆，盤內底髹紅、黑漆各三周，
并在黑漆地上用紅、褐、灰黑無光漆彩繪鳥雲紋、點
紋、圓圈紋及變形鳥頭紋等圖案。

現藏湖北省荊州博物館。

二龍戲珠紋盆

西漢

廣西貴港市羅泊灣1號漢墓出土。

高13.5、口徑50、內底徑44.5厘米。

銅胎。器的口沿、腹內、外壁均有漆繪。口沿繪菱形
紋，腹內壁繪二龍戲珠紋及魚紋和捲雲紋，外壁以四個
鋪首爲界而繪四組人物故事圖。

現藏廣西壯族自治區博物館。

雲紋盆
西漢

安徽天長市安樂鄉漢墓出土。

高6、口徑24、底徑15.5厘米。

木胎。器平口、寬唇，斜壁內收，平底。通體髹醬紫色漆，飾朱色帶狀紋、雲氣紋、渦紋等紋樣。

現藏安徽省天長市博物館。

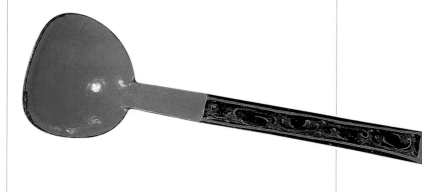

雲紋鈚
西漢

湖南長沙市馬王堆3號墓出土。

長42厘米。

木胎。該墓遣策有"右方漆畫鼎十，鈚六"的記載，由此可說明鈚和鼎是配套使用的。

現藏湖南省博物館。

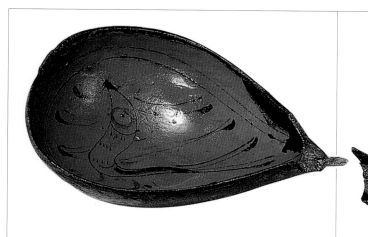

朱雀紋勺

西漢

山東臨沂市金雀山13號漢墓出土。

長27.2厘米。

木胎。柄上鑿有凹槽，且與勺相通。勺的正中以黑、灰
及金色漆繪一朱雀紋。勺外髹黑漆，素面。

現藏山東省臨沂市博物館。

鳳形勺

西漢

湖北雲夢縣睡虎地47號墓出土。

通高10、勺長徑12.2、短徑9.2厘米。

木胎。以鳳的頸、首部作勺柄。勺內髹朱漆，餘皆髹黑
漆，并以朱、褐漆繪鳳鳥的羽毛紋。外底部有"鄭亭"
的烙印文字。

現藏湖北省博物館。

雲氣紋銀扣口鴨形勺

西漢

江西揚州市西湖鄉胡場15
號漢墓出土。

高8.8厘米。

木胎。鴨身作勺體，頭頸作
勺柄。器口飾銀扣，外髹黑
漆地，繪鴨身之羽、翅、
蹼；頭頸褐漆地，黑漆繪
鴨頸羽毛、喙、目、鼻、
耳，并用朱漆點睛；勺內朱
漆地黑漆繪雲氣紋。

現藏江蘇省揚州博物館。

銀扣鴨形勺

西漢

江蘇揚州市西湖鄉胡場14號漢墓
出土。

高8、口長徑8.6、短徑7.8厘米。

木胎。柄與勺身榫卯相接，呈鴨
形，口邊飾銀扣。內髹朱漆，外
髹褐漆。器外朱繪鴨身細絨紋及
雙翅羽紋，以朱、黑漆點繪鴨頭
細部。器內以黑漆繪雲氣紋。

現藏江蘇省揚州博物館。

鳥頭柄勺

西漢

安徽天長市安樂鄉漢墓出土。

長15厘米。

木胎。勺內髹朱漆，外髹黑漆，并朱繪雲氣紋。柄末端
作鳥頭形，髹朱漆，以朱、黑漆點繪鳥頭細部。

現藏安徽省博物館。

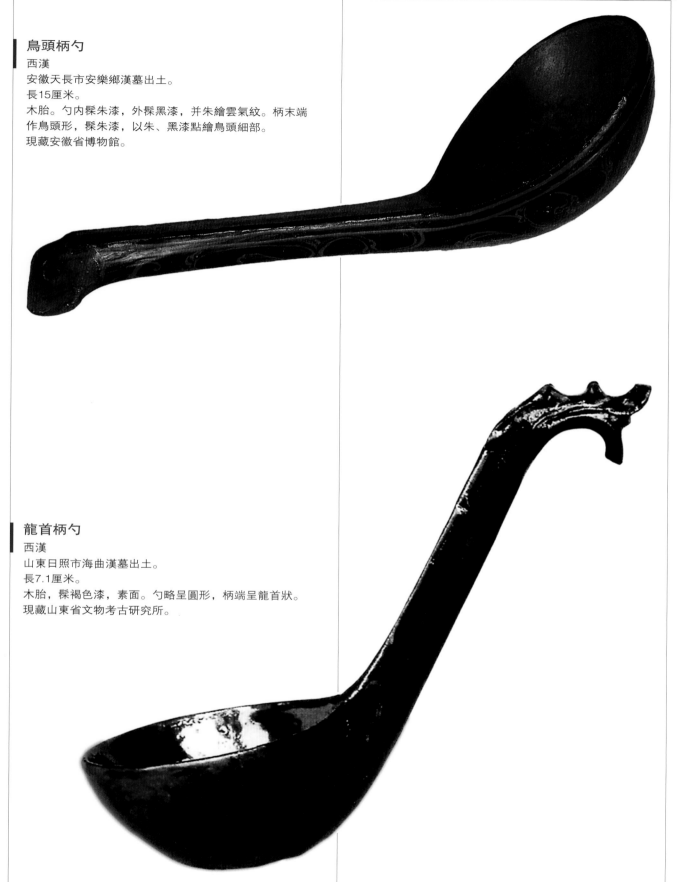

龍首柄勺

西漢

山東日照市海曲漢墓出土。

長7.1厘米。

木胎，髹褐色漆，素面。勺略呈圓形，柄端呈龍首狀。

現藏山東省文物考古研究所。

西漢東漢（公元前二〇六年至公元二二〇年）

針刻填朱鳳鳥紋勺

西漢

江蘇揚州市西湖鄉胡場1號漢墓出土。

殘長17.3厘米。

勺柄端部殘。全器髹褐色漆，內面錐畫鳳鳥，鳳鳥低首欲銜寶珠。

現藏江蘇省揚州博物館。

竹節形筒

西漢

廣西貴港市羅泊灣1號漢墓出土。

高42、蓋徑14、底徑13厘米。

銅胎。器呈竹筒形，蓋頂有環鈕。內壁和器底均髹黑漆，以黑漆繪器蓋的勾雲紋、器足的菱形紋，器身分成四段，繪各自獨立成圖的神話題材故事。

現藏廣西壯族自治區博物館。

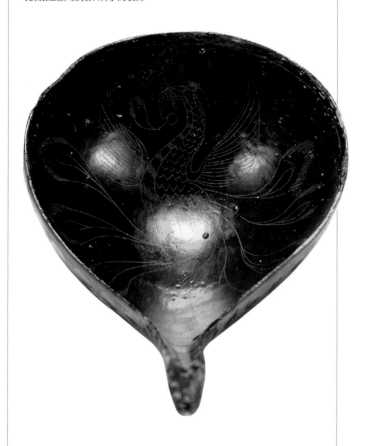

雲獸紋枕

西漢

江蘇揚州市西湖鄉胡場20號漢墓出土。

高10.4、長14.6、寬6.6厘米。

木胎。枕表面髹朱褐漆地，以墨、黃二色漆勾繪幾何紋邊，主體爲大幅雲氣紋，雲氣間飾禽鳥；枕一側面開一長方形竪門，門側漆繪兩條騰龍守門，另一側繪雲氣禽鳥。

現藏江蘇省揚州博物館。

雲虞紋枕

西漢

江蘇揚州市邗江區甘泉鄉姚莊102號漢墓出土。

高12.3、長36.2、寬22.8厘米。

木胎。由枕身和枕托兩部分組成，皆飾塗金銅乳丁。通體髹醬褐色漆，以朱紅、灰綠、醬黃等色漆繪漫捲雲氣紋，并有羽人、龍、鹿、雁、錦雞、狐狸、羊等出没其間。

現藏江蘇省揚州博物館。

西漢東漢（公元前二〇六年至公元二二〇年）

虎子

西漢

安徽天長市城南鄉三
角圩漢墓出土。

高16.6、長28厘米。

木胎。呈虎形，空
腔。通體髹黑漆，并
朱繪頭的細部。背上
有一彎柄。

現藏安徽省天長市博
物館。

虎子

西漢

江蘇揚州市西湖鄉胡場
15號漢墓出土。

長23、高14厘米。

由整木雕刻而成，作猛
虎昂首蹲伏狀。通體髹
黑褐色漆。

現藏江蘇省揚州博物館。

雲紋食案
西漢
湖南長沙市馬王堆1號墓出土。
高5、長76.5、寬46.5厘米。
木胎。案平底，下有矮足。上放五漆盤，兩漆卮及一耳
杯。器底黑漆地上有朱漆書"軑侯家"三字。
現藏湖南省博物館。

雲紋案
西漢
湖南長沙市馬王堆1號墓出土。
長76.5、寬46.5厘米。
木胎。案內髹朱、黑漆地各兩組，黑漆地上繪朱色和灰
綠色組成的雲紋，朱漆地上無紋飾。案底髹黑漆，有朱
漆書寫的"軑侯家"三字。
現藏湖南省博物館。

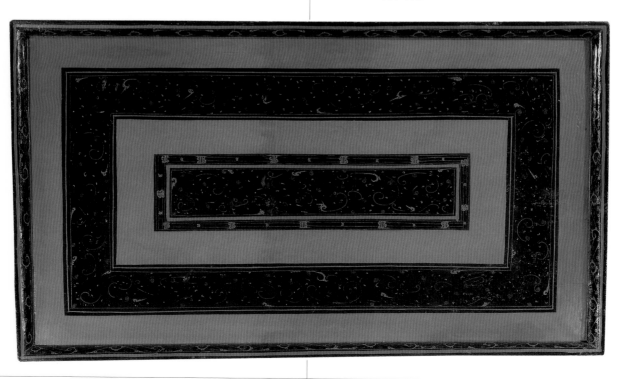

西漢東漢（公元前二○六年至公元二二○年）

雲氣紋案

西漢

安徽潛山縣彭嶺16號墓出土。

高3、長57.7、寬38厘米。

木胎。扁長方形，口沿外侈。案面中央在朱漆地上以褐色和淺藍色漆繪幾何紋和雲龍紋，外圈以朱漆繪雲氣紋于黑褐色漆地上。案背面髹朱紅色漆。

現藏安徽省文物考古研究所。

鳳鳥紋案

西漢

安徽巢湖市放王崗呂柯墓出土。

長72、寬45厘米。

木胎。案面中心朱漆地上以黑、灰綠漆繪一寫實性的銜草立鳳圖，周邊以黑漆爲地朱繪雲氣紋方框。

現藏安徽省巢湖市文物管理所。

屏風

西漢

湖南長沙市馬王堆1
號墓出土。

通高52、板長72、寬
58厘米。

木胎。正面髹朱漆，
以淺綠色漆繪中心的
穀紋璧及周圍的幾何
方連紋。背面則于黑
漆地上以朱、綠、灰
三色繪雲龍紋。

現藏湖南省博物館。

屏風背面

琴

西漢

湖南長沙市馬王堆3號墓出土。

長82.4厘米。

木胎。由琴面與底格兩部分構成、底面之間有共鳴箱和
軫溝、軫子。通體髹黑漆。

現藏于湖南省博物館。

神人紋龜盾

西漢

湖北江陵縣鳳凰山8號墓出土。

長32、寬20.1厘米。

木胎。作龜腹甲狀。正面朱繪一神人和一神獸紋樣。背
面中部爲盾把手，兩側亦朱繪拱手相向的立人。

現藏湖北省荊州博物館。

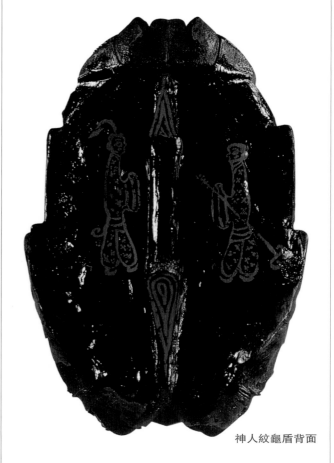

神人紋龜盾背面

兵器架

西漢

湖南長沙市馬王堆3號墓出土。

高89.3、板架長55.4、寬35厘米。

木胎。由盝頂狀座、八邊形柱和長方板狀架三部分組成。架板的正反兩面均髹黑漆爲地，并以朱、黃、綠色繪花紋，正面有三排彎形托鈎。

現藏湖南省博物館。

矢和矢箙（右圖）

西漢

湖南長沙市馬王堆3號墓出土。

箙長44.9、寬17.3、矢長65厘米。

木胎。矢杆上部髹朱漆，下部髹黑漆。箙上以朱、黃色繪製花紋。

現藏湖南省博物館。

西漢東漢（公元前二〇六年至公元二二〇年）

升仙紋紅地棺

西漢

湖南長沙市馬王堆1號墓出土。

高89、長230、寬92厘米。

楸木胎。棺內、外均髹朱漆爲地，并以綠、白、褐色漆
繪紋飾。棺頭擋繪仙山和仙鹿，棺足擋繪二龍穿璧，棺
蓋板繪龍虎斗，棺左側板繪朱雀、龍、鹿與仙人的吉祥
升仙圖。此棺是馬王堆1號墓套棺中的第三層棺。

現藏湖南省博物館。

升仙紋紅地棺蓋板

西漢東漢（公元前二〇六年至公元二二〇年）

升仙紋紅地棺頭端擋板

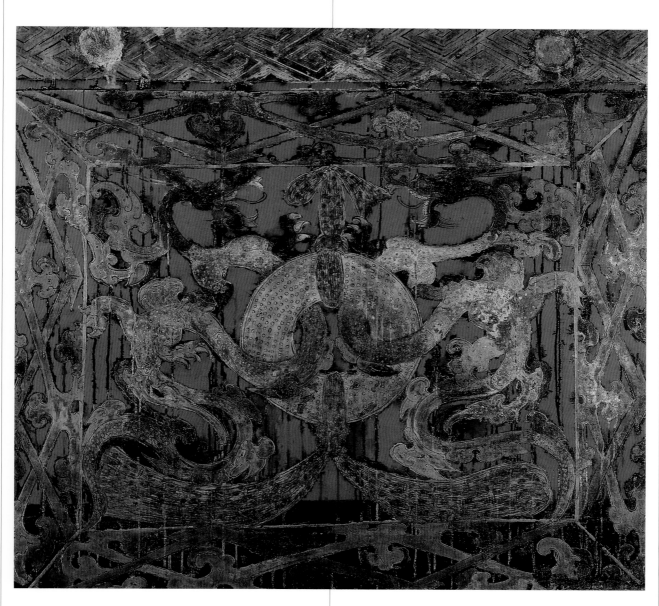

升仙紋紅地棺足端擋板

雲氣神獸紋黑地棺

西漢

湖南長沙市馬王堆1號墓出土。

高114、長256、寬118厘米。

楸木胎。棺內髹朱漆，外髹黑漆爲地，并以銀箔鑲邊，再以朱、白、赭、黑等色漆堆繪出雲氣間的一百多個形態各異的動物和神怪形象，構成五十多幅內容生動的畫面。此棺是馬王堆1號漢墓套棺中的第二層棺。

現藏湖南省博物館。

西漢東漢（公元前二〇六年至公元二二〇年）

雲氣神獸紋黑地棺頭端擋板

博具

西漢

湖南長沙市馬王堆3號墓出土。

高17、長45.5、寬45.5厘米。

木胎。博具盒由蓋、底扣合而成。內髹朱漆，外髹黑漆，并錐畫飛鳥、雲氣紋。博局髹黑褐漆，上亦錐畫雲氣、飛鳥、奔鹿等紋樣。

現藏湖南省博物館。

石硯盒

西漢

山東臨沂市金雀山漢墓出土。

長21.5、寬7.4厘米。

盒蓋、盒身均髹赭漆，盒蓋上繪雲龍紋及各種動物。

現藏中國國家博物館。

雲氣鬥獸紋硯盒

西漢

江蘇揚州市西湖鄉胡場15號漢墓出土。

長22.2、寬7、厚1.4厘米。

木胎。由底、蓋相合而成，內置長方形石硯板及方形研石。通體髹赭色漆為地，以朱、黑漆繪大幅雲氣紋，其中以熊虎鬥圖為主，亦繪人騎獸、羚羊、狐狸等紋樣。

現藏江蘇省揚州博物館。

雲氣紋薄銀片飾砂硯

西漢

江蘇揚州市邗江區甘泉鄉姚莊漢墓出土。

高6、長18.8、寬9.8厘米。

木胎，呈鳳尾形。分硯盒和硯池兩部分，隔牆中間有一三角形流孔，以羊首木栓堵塞。硯池內髹朱漆，餘皆髹黑漆，并貼有動物和羽人的銀箔紋樣。硯池底繪一蛟龍紋，隔牆上繪一開屏孔雀紋。

現藏江蘇省揚州博物館。

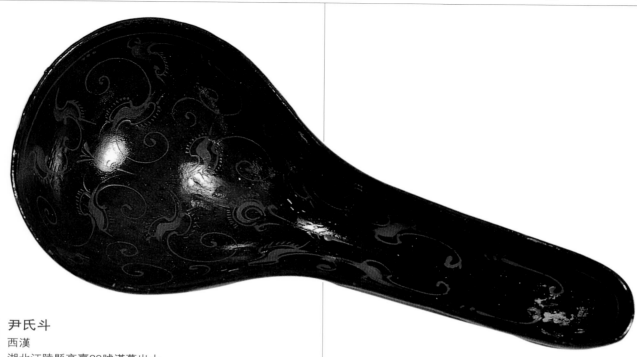

尹氏斗

西漢

湖北江陵縣高臺28號漢墓出土。

長19.5、斗徑9.2厘米。

木胎。斗呈半球形，與柄部凹槽相通。皆髹黑漆爲地，柄和斗內表面以朱、黃漆繪鳥雲紋。斗柄後部書"尹氏"二字。

現藏湖北省荆州博物館。

漆䍺紗冠

西漢

湖南長沙市馬王堆3號墓出土。

高29.6、長39.8厘米。

以細紗編織成型。上髹黑漆。

現藏湖南省博物館。

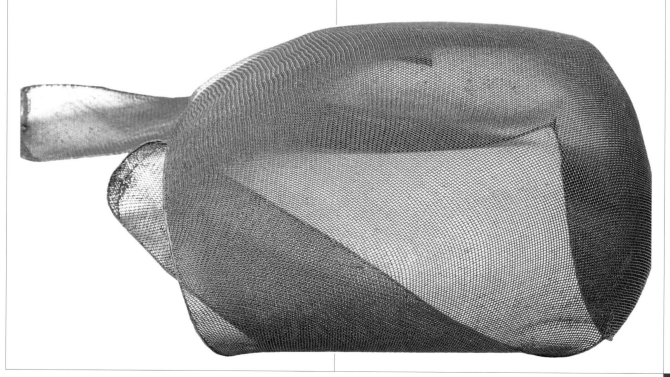

西漢東漢（公元前二〇六年至公元二二〇年）

雲氣鳥獸人物紋面罩局部

雲氣鳥獸人物紋面罩
西漢

江蘇揚州市平山雷塘26
號漢墓出土。

高31.5、長58.4、寬30.5
厘米。

木胎。頂面爲頂，左右
兩側面均有馬蹄形孔，
後面中部開一方孔。通
體髹朱漆地，以黑、
黄、灰三色繪雲氣紋、
瑞獸和羽人等。

現藏江蘇省揚州市文物
考古隊。

雲氣鳥獸人物紋面罩
西漢
江蘇揚州市邗江區黃珏鄉漢墓出土。
高36.5、長62、寬45厘米。
木胎。主體爲方形，上呈盝頂。左右兩側下部均有一馬蹄形孔，後面中部有一長方形小孔。器内髹朱漆，外髹醬紫色漆，并以朱、灰、緑、黃等色漆繪雲氣紋和鳥獸、羽人等形象。
現藏江蘇省揚州博物館。

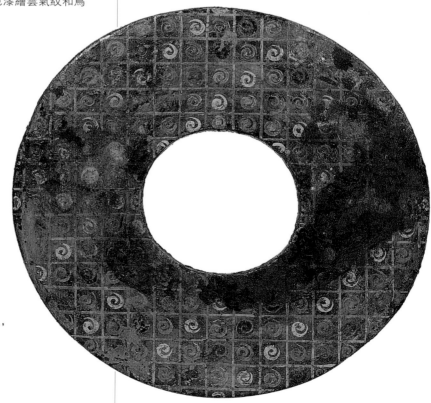

方格紋璧
西漢
廣東廣州市東山猫兒崗漢墓出土。
外徑通長21、内口徑7.8、厚0.9厘米。
木胎。通體髹黑漆，兩面皆朱繪方格紋，方格内填飾朱漆和金彩、銀彩渦紋。
現藏廣東省廣州市文物考古研究所。

套盒

東漢

廣東廣州市先烈路龍生崗漢墓出土。

高12.5、直徑8.2厘米。

夾紵胎。由蓋、器身和器底三部分套合
而成，分爲上下兩層。通體髹深褐色
漆，素面。

現藏廣東省廣州博物館。

銅扣獸紋盂

東漢

甘肅武威市磨嘴子4號漢墓出土。

高12、口徑24.5厘米。

木胎。口緣飾銅扣。器內髹朱漆，用黑漆繪弦紋和幾何
紋。器外以黑漆弦紋分隔爲上、中、下三層紋飾，分別
飾流雲紋、禽鳥瑞獸紋和連續的菱形幾何紋。

現藏甘肅省博物館。

木柲銅戈
東漢
雲南昆明市羊甫頭墓地113號墓出土。
柲長84.5厘米。
三角形援直內戈。柲通體分段繪蛙紋、點綫紋、編織紋、點綫條帶紋、條帶花瓣紋。尾扁菱形，有柲，髹以棕紅色漆。
現藏雲南省文物考古研究所。

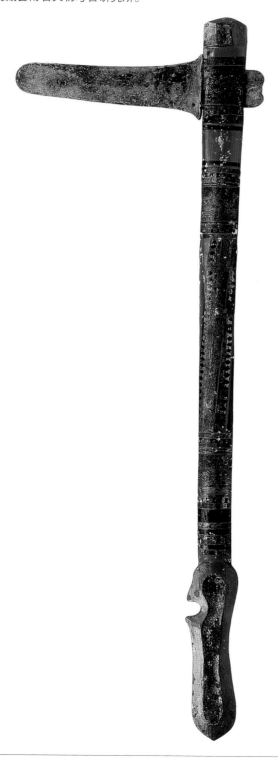

木杖頭
東漢
雲南昆明市羊甫頭墓地出土。
高19.6、獸高5.8厘米。
疊靈芝狀，頂端立一獸。柱下爲一木雕鼓形座，座下爲橢圓形榫頭。用黑、棕紅漆繪飾。
現藏雲南省文物考古研究所。

鷹爪形木祖
東漢
雲南昆明市羊甫頭墓地出土。
高15.2、長27.2厘米。
木祖一端爲一直立的鷹爪，足短而粗壯，爪鋒利。
現藏雲南省文物考古研究所。

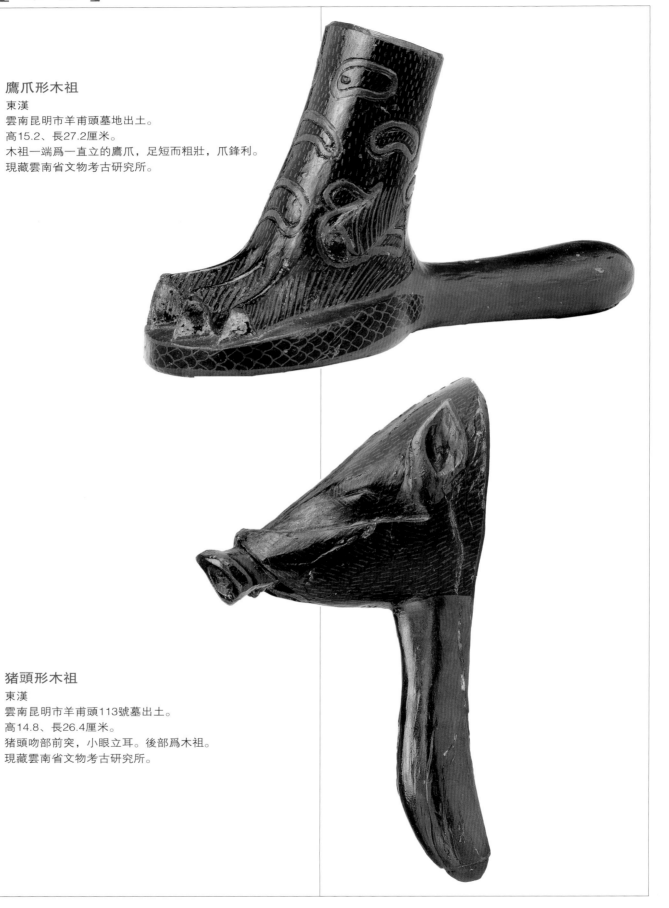

豬頭形木祖
東漢
雲南昆明市羊甫頭113號墓出土。
高14.8、長26.4厘米。
豬頭吻部前突，小眼立耳。後部爲木祖。
現藏雲南省文物考古研究所。

弦紋葫蘆

東漢

甘肅武威市景寨漢墓出土。

通高8、腹徑6厘米。

以天然葫蘆爲胎。通體髹深棕色漆，并以朱、白漆繪表
面弦紋和竪綫水波紋等紋樣。

現藏甘肅省武威市博物館。

雲氣紋篦

東漢

新疆洛浦縣山普拉5號墓出土。

高9、寬7.4厘米。

篦柄爲半圓形，髹黑漆地，并以朱、黃、緑色漆繪雲
氣紋，有黃色圓點點綴其間。齒有六十一根，排列緊
密整齊。柄、齒之間朱繪平行綫紋，中間飾朱、黃色
小圓點紋。

現藏新疆維吾爾自治區博物館。

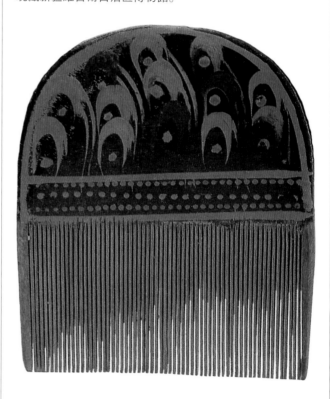

錐刻戧金盒蓋

三國·吳

安徽馬鞍山市三國吳朱然墓出土。

高11.5、邊長22.6厘米。

木胎，外貼麻布，然後髹漆。內爲赭紅色漆，外爲黑漆。蓋面錐刻龍、虎、鳥、麒麟、天禄等禽獸，并有佩劍、擁旗和持節人物各一，間以雲紋貫聯。

現藏安徽省馬鞍山市博物館。

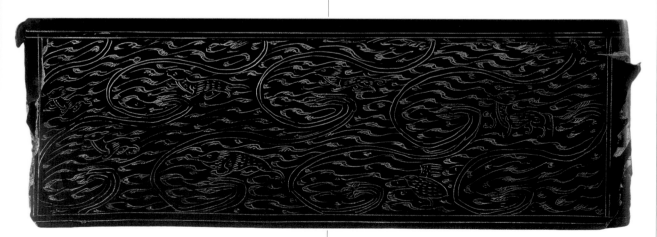

錐刻戧金盒蓋側壁

人物扁形壺殘片
三國·吳
安徽馬鞍山市三國吳朱然墓出土。
高13.9、長22.6、寬12.3厘米。
此圖爲捲製木胎製成的扁形壺的殘片，繪有黃帝命素女
鼓瑟圖及人物圖案，上、下邊緣飾捲草紋。
現藏安徽省馬鞍山市博物館。

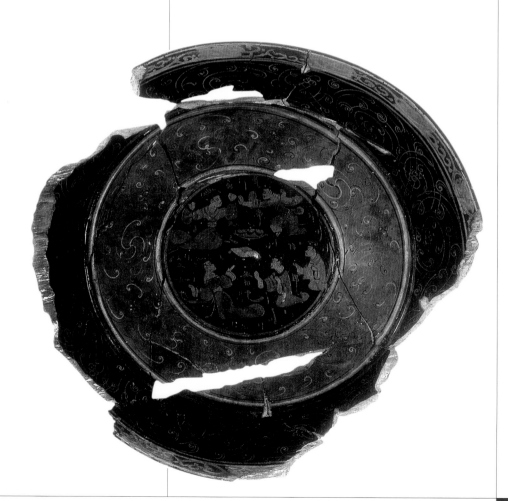

武帝生活圖圓盤
三國·吳
安徽馬鞍山市三國吳朱然墓
出土。
直徑10.2厘米。
木胎。盤面中心黑漆地，繪
武帝、相夫人、丞相、侍
郎、王女五人，人物旁皆有
榜題。盤內壁及口沿上均
朱、黑相間繪製紋飾。盤外
髹黑漆。
現藏安徽省馬鞍山市博物館。

貴族生活圖盤

三國·吳

安徽馬鞍山市三國吳朱然墓出土。

高3.5、直徑24.8厘米。

木胎。器平沿直口，淺腹平底，口沿與底部各有一鎏金銅扣。內髹朱漆，繪有宴賓圖、梳妝圖、對弈圖、馴鷹圖及出游圖。器外髹黑紅漆。

現藏安徽省馬鞍山市博物館。

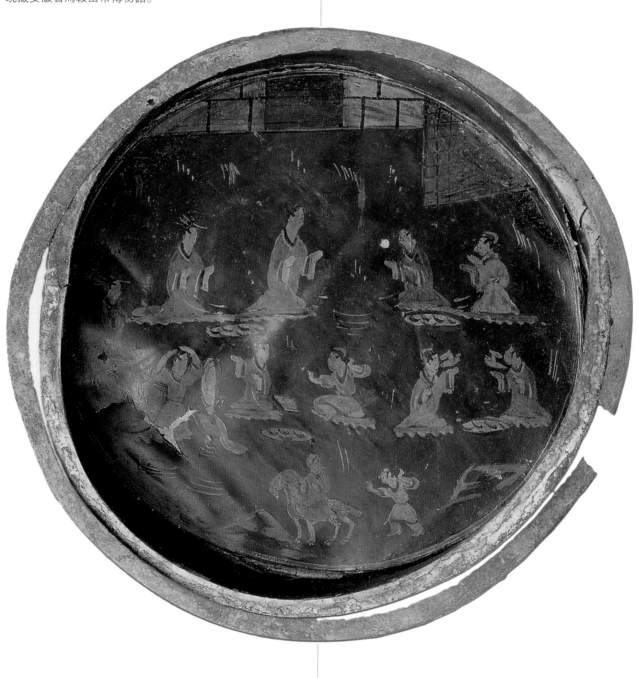

季札挂劍圖盤

三國·吴

安徽馬鞍山市三國吴朱然墓出土。

直徑24.8厘米。

木胎，外貼麻布，然后髹漆。盤口飾鎏金銅扣。盤内底以春秋吴國季札挂劍徐君冢樹的故事爲主題紋樣，内口邊緣飾狩獵紋。外底中央朱漆篆書"蜀郡造作牢"款。現藏安徽省馬鞍山市博物館。

童子對棍圖盤

三國·吳

安徽馬鞍山市三國吳朱然墓出土。
直徑14厘米。
木胎。盤內彩繪分內、中、外三圈
構圖，內圈繪兩童子在山前空地上
對棍相舞，中圈繪游魚、水蓮及水
波紋，外圈繪雲龍紋。盤外壁髹黑
漆，邊飾一周雲龍紋，底部中央朱
漆書"蜀郡作牢"四字。
現藏安徽省馬鞍山市博物館。

鳥獸魚紋槅

三國·吳

安徽馬鞍山市三國吳朱然墓出土。
高4.8、長25.4、寬16.3厘米。
器底爲木胎，壁爲竹胎，以麻布加固。平面呈長方形，
內有七格，髹朱漆地，繪有天鹿、雙鳳、神魚、麒麟、
飛廉、雙魚、白虎紋。器底爲壺門足。
現藏安徽省馬鞍山市博物館。

宮闈宴樂圖案

三國・吳

安徽馬鞍山市三國吳朱然墓出土。

長82、寬56.6厘米。

木胎。案面四緣略高，鑲嵌鎏金銅皮。背面附加兩木托，端處有方孔以安裝四個矮蹄足。主體圖案爲宮闈宴樂場面，四周襯托禽獸紋、雲氣紋等紋樣。背面髹黑漆，正中朱書"官"字。

現藏安徽省馬鞍山市博物館。

三國兩晉南北朝（公元二二〇年至公元五八九年）

宮闈宴樂圖案局部之一

宮闈宴樂圖案局部之二

"吳氏"榻

西晋

江西南昌市晋墓出土。

高5、長26、寬18.3厘米。

薄木胎。平面呈長方形，口沿處有蓋槽。榻底及榻底足四角均髹黑漆，底部中央有朱漆隸書"吳氏榻"三字。

現藏江西省博物館。

耳杯

東晋

江西南昌市火車站東晋紀年墓出土。

高6.2、長19、寬10厘米。

木胎。杯口橢圓形，圓唇，小平底。內髹朱漆，餘皆髹黑漆。

現藏江西省南昌市博物館。

出行圖奩

東晋

江西南昌市火車站東晋紀年墓出土。

高13、直徑25厘米。

器呈圓形。內髹朱漆。外壁中部黑漆地上以朱、赭、金三色彩繪車馬人物出行圖，畫面分成三組，繪有二車二馬十七人；外壁上部髹朱漆，作帷幔狀。

現藏江西省南昌市博物館。

出行圖奩局部之一

出行圖奩局部之二

宴樂圖盤

東晉

江西南昌市火車站出土。

高3.6、口徑25.5、底徑24.1厘米。

捲木胎，平沿，淺腹。口沿、外壁及底髹黑漆，餘皆髹
朱漆，并飾人物、車馬及勾綫紋等。

現藏江西省南昌市博物館。

瑞獸雲氣紋攢盒

東晉

江西南昌市火車站東晉紀年墓出土。

高3.5、上弧長11.5、下弧長4.5、寬6.7厘米。

木胎。多格，可拼合或作單體使用。內髹朱漆，外髹黑漆。蓋面上以朱和灰綠漆繪瑞獸雲氣紋。

現藏江西省南昌市博物館。

托盤

東晉

江西南昌市火車站5號墓出土。

高約2.6、通長45.5、長37.9、寬29.6厘米。

木胎，呈長方形。四邊略上翹，兩側有長方形耳，平底。盤內髹朱、黑漆，雙耳及外底皆髹黑漆。

現藏江西省南昌市博物館。

人物故事圖屏風

北魏

山西大同市北魏司馬金龍墓出土。

每塊高約80厘米。

屏風兩面皆有漆畫，分上下四層構圖。畫面內容取自

《列女傳》，以鐵綫描和渲染技法刻畫人物。榜題與題記乃是朱漆地上髹黃再墨書。墓主人葬于北魏太和八年（公元484年）。

現藏山西省大同市博物館。

彩繪棺殘片

北魏

寧夏固原市北魏墓出土。

高190、寬101厘米。

棺蓋繪東王公、西王母、天河、日、月以及其他圖案。
前擋繪着鮮卑裝的墓主人及侍從，并有二身菩薩像。左
右側上段繪孝子故事，中段繪聯珠龜背紋及直櫺窗。棺
的下方繪狩獵圖。漆畫皆以墨綫勾描人物。

現藏寧夏回族自治區固原博物館。

彩繪棺棺蓋

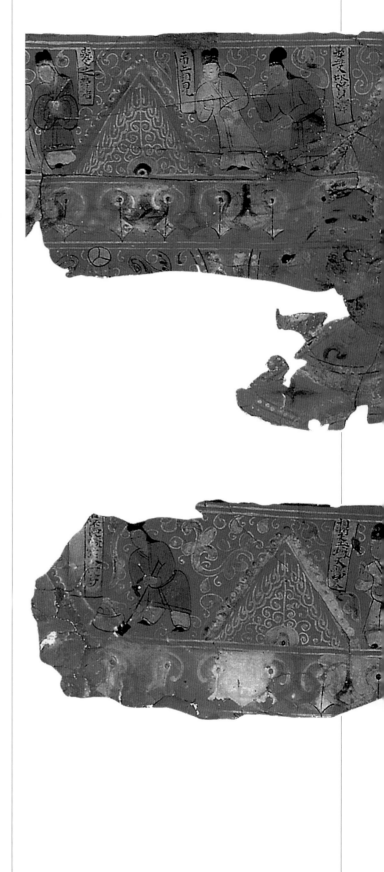

三國兩晉南北朝（公元二二○年至公元五八九年）

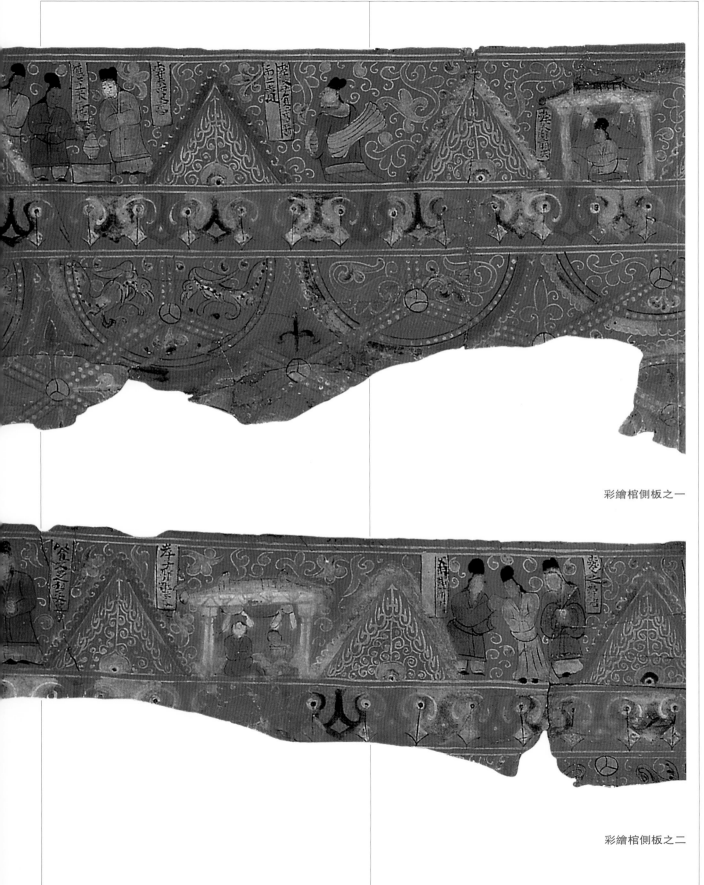

彩繪棺側板之一

彩繪棺側板之二

三國兩晉南北朝（公元二二〇年至公元五八九年）

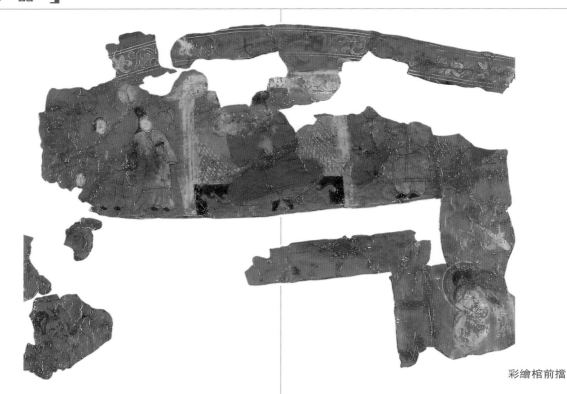

彩繪棺前擋

彩繪棺殘片

北魏

山西大同市湖東北魏1號墓出土。

棺側板圖案由多個直徑約30厘米的聯珠圈紋兩兩相切組成。圈紋相切處，左右以獸首咬合銜接，上下繪白色小

圓環銜接。各聯珠圈紋中部均繪一伎樂童子。童子髮髻上挽，細眉大眼，穿三角褲，露身赤腳，臂繞彩帶向後飄揚，兩腿呈交叉或胡跪式。童子姿態各异，周邊以朱紅色飾忍冬花紋。

現藏山西省大同市考古研究所。

銀平脫八角菱花鏡盒

唐

高10.6、口徑37厘米。

皮胎。蓋面圖案中心爲一朵八瓣大寶相花，其周圍爲八朵孔雀立于其中的團花。盒側面飾團花。

現藏日本奈良正倉院。

唐五代十國（公元六一八年至公元九六〇年）

銀平脫鳥首壺

唐

高41.3、腹徑18.9厘米。

木胎，用圈疊胎工藝製成。金屬壺柄。黑漆
壺蓋與壺口組成鳥的頭部。壺蓋、腹部和喇
叭形底座用銀平脫工藝裝飾山石、鴛鴦、
鹿、羊、蝴蝶、蜜蜂與各色花草。

現藏日本奈良正倉院。

金銀平脫“季春”琴

唐

長114.5、額寬16厘米。

此琴爲神農式，桐木斲成。琴面岳山上下銀平脫山石、仙人、鳥和雲紋；頸部金平脫菱格紋邊框，框內繪三位高士，其中二人彈奏琴、阮咸，另一位飲酒。空中仙人乘雲而下，地上孔雀站立，邊飾山石、花草、鳥蟲和游樂人物。琴背裝飾全部使用銀平脫工藝，軫池上下爲山石、雲和鳥，其下爲八句四言詩，龍池上下爲花草、兩側爲雲中龍，鳳沼上下爲花草、兩側爲鳳凰。龍池內墨書“清琴作兮□□日月”和“幽人聞兮□□”，鳳沼內墨書“乙亥之年”和“季春造作”。乙亥年爲唐開元二十三年（公元735年）。

現藏日本奈良正倉院。

金銀平脫“季春”琴琴背

金銀平脱"季春"琴琴面局部

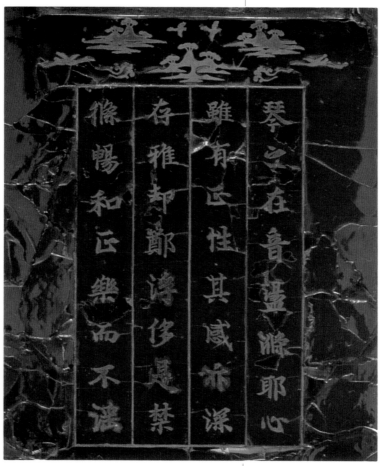

金銀平脱"季春"琴琴背局部

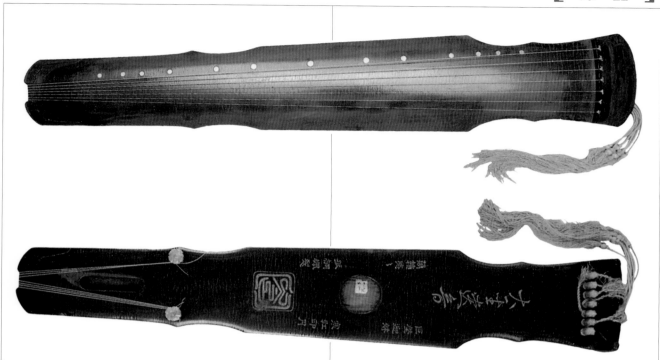

"大聖遺音" 琴

唐

通長120、最寬20.5厘米。

琴爲神農式，桐木所斲，漆栗殼色間黑色，略有朱漆修
補。琴面漫圓如弓形，琴背上有圓形龍池，龍池上方刻
草書"大聖遺音"四字，池兩旁刻十六字隸書銘，池下
刻"包含"細邊大印。琴腹內池之兩側有朱漆隸書"至
德丙申"四字款，至德丙申爲唐至德元年（公元756
年）。

現藏故宮博物院。

"九霄環佩" 琴

唐

通長123.5、最寬21厘米。

琴爲伏羲式，桐木所斲，漆黑色，朱漆修補。琴背上有
圓形龍池，橢圓形鳳沼。龍池上方刻篆書"九霄環佩"
四字，池下刻"中和之氣"印一方。

現藏中國國家博物院。

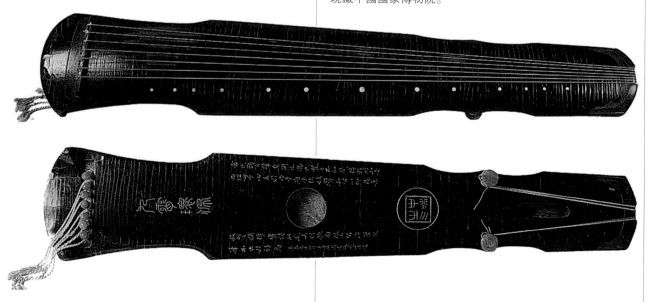

225

嵌螺鈿紫檀五弦琵琶

唐

長108.1、腹寬30.9厘米。

面板嵌螺鈿十三朵花，以玳瑁飾花心，貝片和玳瑁飾二重花瓣。面板撥弦部分貼玳瑁片，其上飾以貝片螺鈿圖案，圖案上部爲一株熱帶植物和五隻飛鳥，下部爲一胡人騎駱駝撥奏曲頸琵琶。背板以玳瑁和貝片螺鈿飾上下兩組大寶相花，其間飾二隻含綬鳥和流雲。

現藏日本奈良正倉院。

嵌螺鈿紫檀五弦
琵琶背面

嵌螺鈿紫檀阮咸
唐

長100.4、腹徑39厘米。

面板正中貼圓形皮革，上繪一女子在樹下彈奏阮咸，周
圍三人聽琴。皮畫上塗漆。皮畫上方左右各飾一圓形裝
飾，均嵌貝片和琥珀；覆手以玳瑁地嵌貝片和琥珀裝
飾。背板用貝片、琥珀和玳瑁裝飾，中心爲一朵有花蕾
的八葉寶相花，上下各有一隻銜綬帶的鸚鵡。

現藏日本奈良正倉院。

嵌螺鈿紫檀阮咸背面

▍金銀平脱羽人飛鳳花鳥
　紋漆衣銅鏡

唐

直徑36.2厘米。

八瓣葵花形青銅鏡。鏡背褐色
漆地上滿嵌金銀片鏤成的展翅
羽人及飛鳳、蝴蝶、花鳥等，
中心則爲一八瓣蓮花座。

現藏中國國家博物館。

▍金銀平脱鏤金絲鸞銜綬
　帶紋漆衣銅境

唐

陝西西安市東郊長樂坡村出土。

直徑22.7厘米。

圓形，薄體，圓鈕帶穿，素緣內
側有立墻。鏡背漆地以金絲同心
結爲界分內、外兩圈紋飾。內圈
裝飾銀片蓮葉，外圈飾金質四鸞
鳥口銜綬帶作同向飛行狀，并以
銀質折枝花相隔。

現藏陝西歷史博物館。

金銀平脱天馬鸞鳳紋漆衣銅鏡

唐

直徑30厘米。

圓形，圓鈕，高平緣。鏡背漆地厚重，嵌鏤刻銀片。中心爲八出連枝花瓣形鈕座，座外鏤相互追逐的天馬、鸞鳳各二組，并有花草、鳥雀貫穿其間，邊緣爲連枝牡丹花瓣。全圖皆以金片嵌飾銀片細部，銀中鑲金，色彩鮮明。

現藏陝西歷史博物館。

銀平脱舞禽花樹狩獸神仙紋漆衣銅鏡

唐

直徑20.4厘米。

圓形，半圓鈕。鏡背漆地上嵌銀片鏤成的作銜枝起舞狀的孔雀、鳳凰及花草、樹木、山石、鳥獸、乘鶴仙人、狩獵騎士等紋樣。此鏡銀花鏤刻精湛，紋飾繁密華麗。

現藏上海博物館。

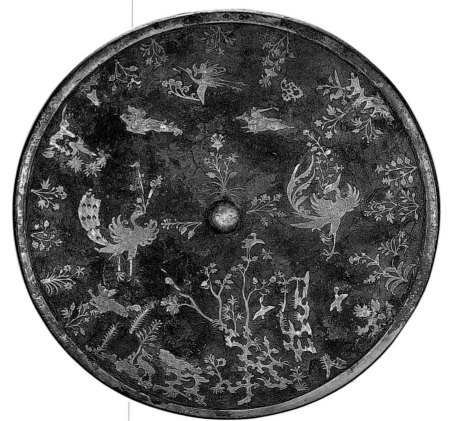

唐五代十國（公元六一八年至公元九六〇年）

銀平脱寶相花紋漆衣銅鏡
唐
陝西西安市長安區出土。
直徑19厘米。
六出葵花形，圓鈕，高平緣。
鏡背漆地上滿嵌銀片鏤成的三
層寶相花紋，中心圓鈕外則爲
一六瓣花形鈕座。
現藏中國國家博物館。

嵌螺鈿雲龍紋漆衣銅鏡
唐
河南陝縣後川唐墓出土。
直徑22厘米。
圓形，圓鈕帶穿，高平緣。鏡體
厚重，呈銀白色。背髹褐色漆
地，以螺鈿鑲嵌一龍飛騰盤繞于
雲氣之中，作口吞鈕珠狀。
現藏中國國家博物館。

**嵌螺鈿人物花鳥紋漆衣
銅鏡**

唐

河南洛陽市出土。

直徑23.9、邊厚0.5厘米。

圓形，圓鈕，高平緣。鏡背
以螺鈿鑲嵌二老者彈樂暢飲
于樹前之景，附設明月、
鳥雀、仙鶴、戲水鴛鴦及
草石、侍女等。

現藏中國國家博物館。

八棱形奩

五代十國

江蘇連雲港市玉帶河工地出土。

高22、口徑31.7厘米。

木胎，呈八棱形，由蓋和器身
上下套合而成。器足爲外侈八
棱形。通體髹黑漆。素面。

現藏南京博物院。

唐五代十國（公元六一八年至公元九六〇年）

銀平脫花卉紋鏡盒

五代十國

江蘇常州市五代墓出土。

通高8、寬20.8厘米。

木胎，呈"亞"字形，由蓋和底兩部分組成。蓋頂邊緣
鑲銀扣，面上覆一整體鏤雕花卉圖案的銀片。蓋內側有
朱書兩行。盒底正中嵌銅質團花紋片，其左側亦有朱書
兩行。盒底圈足鑲兩道銀扣。

現藏江蘇省常州博物館。

花鳥紋嵌螺鈿經箱

五代十國

江蘇蘇州市瑞光塔出土。

高12.5、長35、寬12厘米。

木胎，盝頂長方形，下爲須彌座。通體髹黑漆，嵌彩色
厚螺鈿片。蓋面飾團花紋，中嵌水晶和彩色寶石。須彌
座凹形壼門內有堆漆描金瑞草。

現藏江蘇省蘇州博物館。

嵌螺鈿説法圖經函

五代十國

浙江湖州市飛英塔塔壁內發現。

長20.3、寬20.8厘米。

木胎，盝頂長方形，函身連座。通體髹黑漆，嵌乳白色
貝片。蓋面嵌三朵寶相團花，中鑲綠色玻璃；幫板則飾
飛仙圖；立墻嵌説法圖；兩側橫擋立墻飾坐佛圖。須彌
座上以貝片飾壺門。函外底部有四十七字的朱書題記。
現藏浙江省湖州市飛英塔文物保管所。

嵌螺鈿説法圖經函蓋面

嵌螺鈿説法圖經函立墻

雙陸

遼

遼寧法庫縣葉茂臺遼墓出土。

板長52.8、寬25.7、厚1.6厘米，木子高4.5、底徑2.3厘米。

由一片長方形"雙陸"板與三十粒黑、白雙陸子組成。雙陸板爲木胎，髹黑漆地，相對的兩個長邊各以白色骨片嵌製十二個圓形"梁"標，并于中間刻一月牙形"門"的標志。雙陸子皆平底，束腰尖頂，形制規整。現藏遼寧省博物館。

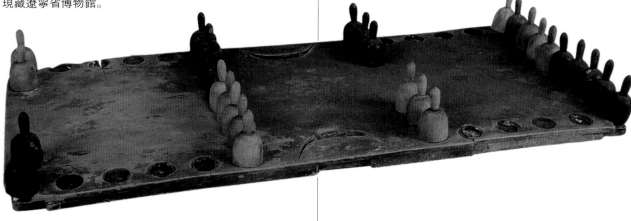

雙陸骰盆

遼

遼寧法庫縣葉茂臺遼墓出土。

高10、口徑44.5厘米。

由窄木條圈叠成型，貼以粗麻布。通體髹黑漆。口沿有金屬扣的痕迹。外底朱書"庚午歲李上牢"六字款。此器爲雙陸的骰盆，供博戲時擲骰之用。現藏遼寧省博物館。

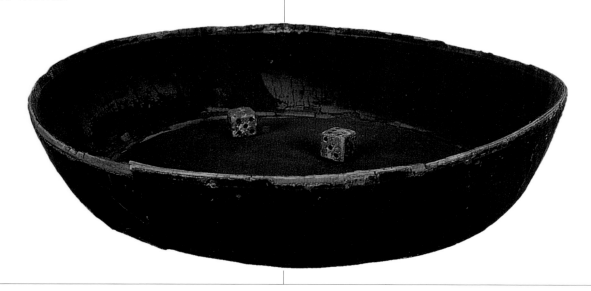

龍首勺

遼

遼寧法庫縣葉茂臺遼墓出土。

長17.4、勺口寬1.8厘米。

木胎。勺頭似半桃形，圜底。柄端雕作龍首狀。通體髹
醬紅色漆。

現藏遼寧省博物館。

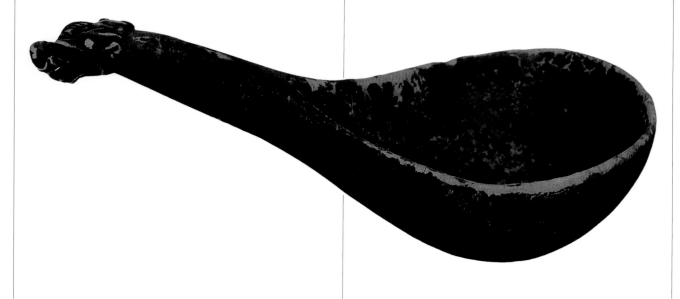

雲鳳紋弓囊

遼

內蒙古奈曼旗遼陳國公主墓出土。

長74.5、寬10–25、厚2.9–4.4厘米。

柏木製作，打磨光滑，弓囊外為紅褐色，墨綫勾繪雲
鳳紋。

現藏內蒙古文物考古研究所。

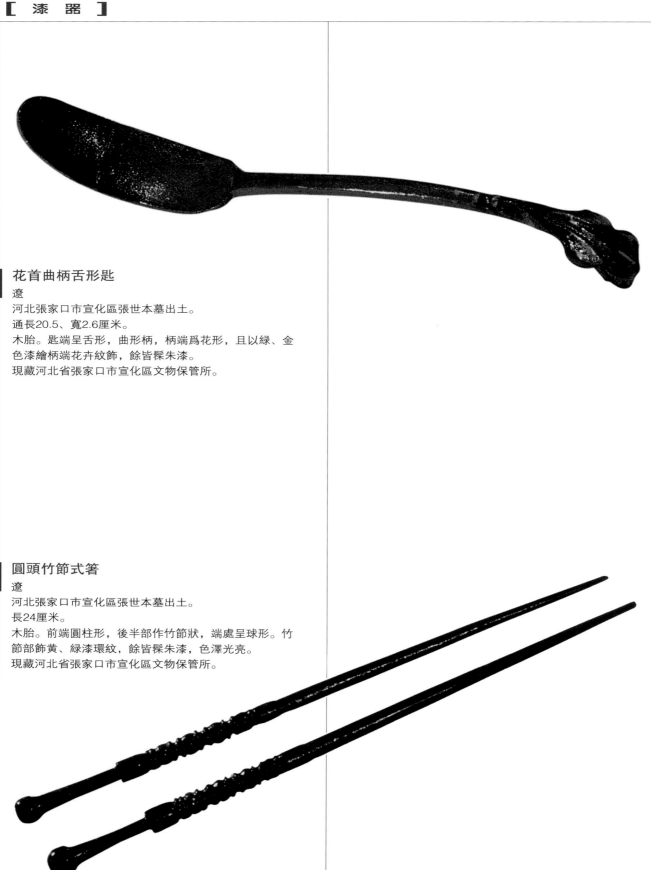

花首曲柄舌形匙

遼

河北張家口市宣化區張世本墓出土。

通長20.5、寬2.6厘米。

木胎。匙端呈舌形，曲形柄，柄端爲花形，且以綠、金色漆繪柄端花卉紋飾，餘皆髹朱漆。

現藏河北省張家口市宣化區文物保管所。

圓頭竹節式箸

遼

河北張家口市宣化區張世本墓出土。

長24厘米。

木胎。前端圓柱形，後半部作竹節狀，端處呈球形。竹節部飾黃、綠漆環紋，餘皆髹朱漆，色澤光亮。

現藏河北省張家口市宣化區文物保管所。

鉢

北宋

湖北監利縣福田宋墓出土。

高10、口徑19.5厘米。

木胎，微斂口。通體髹黑漆。同墓出土一件花瓣狀托
盤，盤身恰與鉢口相合，亦可作鉢蓋。盤沿髹朱漆，餘
皆髹黑漆，沿面有“乙丑邢家上牢”的朱書字。

現藏湖北省荆州博物館。

海棠式碗

北宋

湖北監利縣福田宋墓出土。

高12、口徑37厘米。

由木條圈叠成型，再裱麻布，髹漆。口沿呈四葉海棠花
瓣狀。器内髹棕紅漆，外髹黑漆，皆素面。器外壁有朱
漆書筆畫相連的“乙丑邢家上牢”六字。

現藏湖北省荆州博物館。

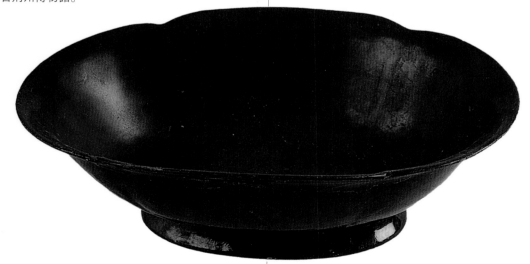

花瓣形碗

北宋

江蘇常州市新體育場工地出土。
高10、口徑19、底徑10厘米。
木胎。器口爲十棱花瓣形，深
腹，高圈足。內外皆髹黑漆。腹
外近底處朱書"常州秬□上牢"
六字，旁有小字"甲□"年款。
現藏江蘇省常州博物館。

蓮花形碗

北宋

江蘇常州市紗廠工地宋墓出土。
高10、口徑15.8、底徑8厘米。
木胎。器口爲六瓣蓮花形，深
腹，高圈足。內髹赭色漆，外髹
黑漆，素面。外腹朱書"萬壽常
住戊□"六字。
現藏江蘇省常州博物館。

花瓣式圈足碗

北宋

湖北武漢市漢陽區十里鋪1號墓出土。

高9.3、口徑16.5厘米。

器口呈六瓣花形。內、外髹褐色漆，圈
足內爲黑紅色。

現藏湖北省博物館。

剔犀銀裏碗

北宋

江蘇張家港市楊舍鎮戴港村宋墓出土。

高6.8、口徑13.8厘米。

器內壁爲銀質，外由窄木條圈叠成胎，并剔犀。以紫黑色
漆爲面，朱、黃、紫黑漆三色相間，雕兩排如意雲紋。

現藏江蘇省張家港博物館。

花瓣形托盞

北宋

湖北武漢市漢陽區十里鋪1號墓出土。

高6.5、盤徑14.2、碗口徑8.5厘米。

上爲斂口小碗，中爲六瓣花形托盤，下爲外侈圈足。碗
內及圈足內髹醬色漆，餘皆髹褐漆。

現藏湖北省博物館。

腰圓形盒

北宋

江蘇無錫市長安鄉金星村出土。

高9.3、長19、寬11厘米。

由木條圈叠成型。器蓋前低後高似枕形，外壁皆飾弦
紋，通體髹黑漆。

現藏江蘇省無錫市博物館。

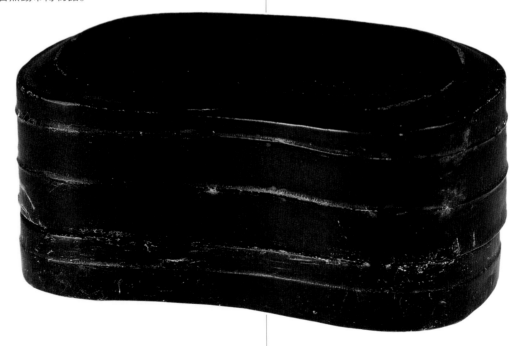

盆

北宋

江蘇寶應縣安宜路北宋墓群8號墓出土。

高9.8、口徑33.5厘米。

由木條圈叠成型。器外及內口沿髹黑漆，內腹及底均髹
朱漆，漆色光澤。

現藏江蘇省寶應縣博物館。

葵口盆

北宋

江蘇寶應縣安宜路北宋墓群10號墓出土。

高10.3、口徑2.9厘米。

木胎，以木作箍桶法製成。器爲六瓣葵口，腹上部及
近底處各有箍一道。腹壁外側朱書"孫行素漆張口口
口"款銘。

現藏江蘇省寶應縣博物館。

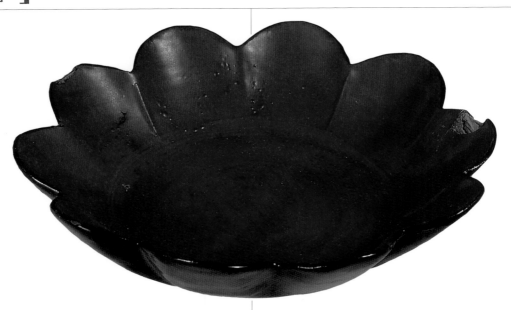

花瓣式平底盤

北宋

江蘇無錫市南門興竹村出土。

高3.6、直徑15.5厘米。

由木條圈叠成型，胎體輕薄。底平，中央朱書"癸丑陳伯修置"六字竪款。器內髹朱漆，外髹黑漆。

現藏江蘇省無錫市博物館。

花瓣式平底盤

北宋

江蘇淮安市楊廟鎮宋墓出土。

高2.3、口徑9、底徑5厘米。

口沿微斂，呈六出花瓣形，弧腹內收，平底。盤內髹朱漆，外髹黑漆。素面。

現藏南京博物院。

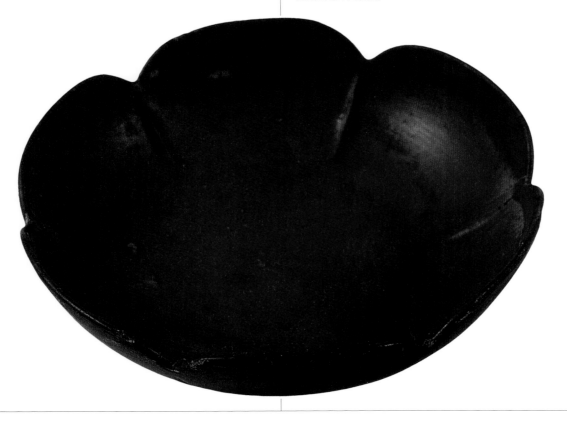

圓筒形罐

北宋

江蘇無錫市南門興竹村出土。

通高9.5、直徑9厘米。

由木條圈叠成型。通體髹黑漆。底部右側朱書"癸丑伯忠置"五字竪款。

現藏江蘇省無錫市博物館。

折肩罐

北宋

江蘇寶應縣安宜路北宋墓群6號墓出土。

高12、口徑17.2厘米。

由窄木條圈叠成型，胎體較薄。通體髹黑漆，素面。

現藏江蘇省寶應縣博物館。

蓋罐

北宋

安徽無爲縣寶塔出土。

通高14.1、蓋徑4.8、口徑4厘米。

由木胎鏇製成型。底部內凹，假圈足。器外髹黑漆，內刷灰膩而不見漆地。

現藏安徽省博物館。

葵瓣式豆

北宋

江蘇寶應縣安宜路北宋墓群9號墓出土。

高10、口徑13.2厘米。

木胎。口沿爲八瓣葵花形，有子口，下附喇叭形圈足。通體髹黑漆，口沿下朱書"壽三"兩字。

現藏江蘇省寶應縣博物館。

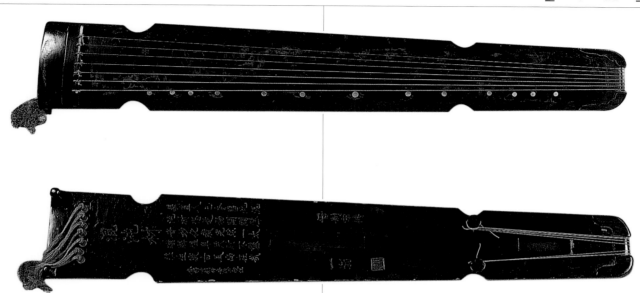

"混沌材"琴

北宋

通長123.5、最寬19.2、最厚4.5、底厚1厘米。

琴爲伶官式，桐木斲面，髹黑漆，露朱漆地。通體有冰紋斷，螺鈿徽。龍池、鳳沼皆作長方形，沿口有鑲邊。龍池上方陰刻行書"混沌材"三字。

現藏中國國家博物館。

鎏金花邊經函

北宋

江蘇蘇州市虎丘雲岩寺塔發現。

高21、長37.8、寬19.2厘米。

楠木胎，呈盝頂長方形，下設須彌座。通體髹褐紅色素漆。蓋、身、座各部接縫處鑲銀質鎏金邊，上細刻花卉鳳鳥，并釘凸形圓釘。須彌座邊緣橫鑿小字一行，計十八字，函底外有墨書文字四行五十四字，函後鉸鏈內面鑿"孫仁裕"三字。

現藏江蘇省蘇州博物館。

描金堆漆經函

北宋
浙江瑞安市慧光塔出土。
外函高16.5、長40、寬18厘米；內函高11.5、長33.8、寬11厘米。
內函與外函相套合。外函檀木胎，盝頂狀。通體髹棕色漆，四周堆漆飾佛像、供養菩薩及神獸、飛鳥、花卉等，嵌小珍珠，并以金繪飛天、樂器、祥鳥和花卉。函底有金書一行，依稀可辨"大宋慶曆二年"字樣。內函木胎。通體髹朱漆，除函底外，均工筆描金。頂部繪雙鳳紋團花三個，四壁繪六瓣形鳥紋八團，并以花卉為地。須彌座上飾壺門，內以十字形葉片為地。
現藏浙江省博物館。

描金堆漆經函內函

描金堆漆舍利函

北宋

浙江瑞安市慧光塔出土。

高41.2、底寬24.5厘米。

呈方形，盝頂狀，通體描金堆漆飾菊花紋和神獸等，嵌

小珍珠，髹棕色漆。函中部四面用金筆繪出白描人物畫各一幅，表現涅槃的主題。函底有金書十一行，具錄施主名位，結尾署"大宋慶曆二年壬午歲十二月題記"字樣，慶曆二年爲公元1042年。

現藏浙江省博物館。

堆漆寶篋印經塔

北宋

浙江溫州市白象塔出土。

殘高19.3、面寬12厘米。

胎係山麻秆粉拌油脂等物塑雕而成，外塗厚漆層，呈
黑褐色。分爲基座、塔身及頂三部分。塔內中空，頂部
中央刻十二瓣蓮紋。餘地刻有佛傳和本生故事、佛像、
券門、金絲鳥等。

現藏浙江省溫州市博物館。

圓筒形盒

金

山西大同市金代閻德源墓出土。

高11.8、口徑8.1厘米。

由木條圈叠成型。盒分三層，每層皆以子母口相扣合。
通體髹黑褐色漆。素面。

現藏山西省大同市博物館。

蝶梅翠竹紋碗

金

山西大同市金代墓葬出土。

通高3.5、口徑11、圈足徑4.7厘米。

木胎。器直口，折腹內收，小平底，圈足。通體髹褐漆，
并繪團花三組。一組爲盛開的白梅，間以花蕾；一組爲三
隻黄蝶；一組爲一叢翠竹。

現藏山西省大同市博物館。

盒

南宋

江蘇宜興市和橋宋墓出土。

高25.3厘米。

木胎。由蓋與盒身以子母口相扣合而成，平面呈圓形。
內髹黑漆，外表髹紫褐色漆，顏色光亮。

現藏南京博物院。

花瓣形盒

南宋

江蘇江陰市文林宋墓出土。

通高8.5、口徑12.4、底徑9.4厘米。

木胎，呈扁圓六瓣花形。蓋與盒身以子母口扣合，下有矮圈足。器外髹黑漆，顏色光亮。

現藏江蘇省常州博物館。

蓮瓣形盒

南宋

江蘇江陰市石莊丁家坍出土。

高20、直徑23.9厘米。

木胎，呈八棱蓮瓣形。蓋與盒身以子母口相扣合，下附圈足。器外髹朱漆，圈足底及器內髹黑漆。

現藏江蘇省江陰市博物館。

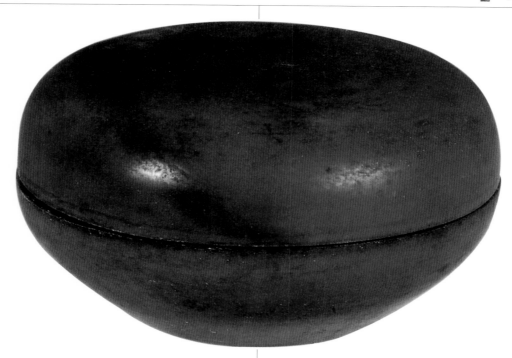

遼北宋金南宋（公元九一六年至公元一二七九年）

圓形盒

南宋

江蘇無錫市錫澄運河工地出土。

高7.3、直徑14厘米。

由木條圈疊成型。蓋與盒身皆呈鉢式，并以子母口相扣合。底部略內凹，形成圈足，有朱漆兩排豎款行楷"辛丑四明周六郎造"字樣。盒內及外底髹黑漆，餘皆髹赭紅色漆。

現藏江蘇省無錫市博物館。

剔犀圓形盒

南宋

江蘇江陰市夏港新開河工地宋墓出土。

高7、口徑13.5厘米。

木胎。蓋與盒身以子母口相扣合，小平底，下附圈足。黑面，露紅綫。通體剔刻捲雲紋圖案。

現藏江蘇省江陰市博物館。

剔犀扁圓形紅面盒

南宋

福建福州市茶園山南宋墓出土。

高5、口徑15厘米。

木胎。蓋、底扣合。紅面，紅、黃、黑三色漆更迭，漆層肥厚。蓋面周緣爲五個如意雲紋，中央爲四個相對稱的勾雲紋，盒身周壁剔刻捲雲紋。内壁與底皆髹黑漆。現藏福建省福州市博物館。

剔紅桂花紋盒

南宋

高3、口徑8.7厘米。

盒體圓形，漆質堅厚，精光内蘊。蓋面精刻回紋錦地，雕桂花一枝，盒側斜雕回紋。盒底髹黑色漆，有朱漆篆書"墨林秘玩"印款。

現藏故宮博物院。

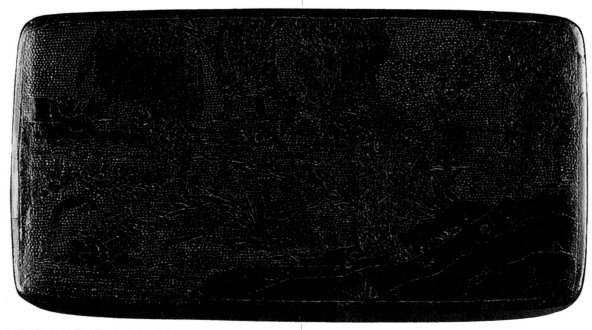

戧金朱漆斑紋柳塘圖長方形盒

南宋

江蘇常州市武進區村前鄉南宋4號墓出土。

高10.1、長11.4、寬8.3厘米。

木胎，呈長方形。外髹黑漆爲地，細鉤戧金。蓋面爲一幅柳塘小景圖，在景物以外鑽以細斑，填襯朱漆。蓋壁及盒身立墻戧刻月季、菊花、海棠、荷花、梅花等四季花卉。蓋內側朱書"庚申溫州丁字橋廗七叔上牢"款。

現藏江蘇省常州博物館。

戧金沽酒圖長方形盒

南宋

江蘇常州市武進區村前鄉南宋5號墓出土。

高10.7、長15.3、寬8.1厘米。

木胎，長方形，子母口、口部套一黑漆淺盤。內髹黑漆，外髹朱漆，且細鉤戧金爲紋。蓋面表現《晋書·阮修傳》"常步行，以百錢挂杖頭，至酒店便獨酣暢"的情狀，蓋壁及盒身立墻各飾牡丹、芍藥、栀子花及茶花。蓋內側有朱漆書"丁酉溫州五馬鍾念二郎上牢"款。

現藏江蘇省常州博物館。

戧金酣睡江舟圖長方形盒

南宋

江蘇江陰市夏港新開河工地宋墓出土。

通高12.5、長15、寬8.5厘米。

木胎，呈長方形，子母口、口部套一淺盤。外髹黑漆地，蓋面戧刻一醉酒老翁酣睡于小舟艙前，悠然自得于山水之間。蓋壁及盒身立牆戧刻牡丹、芍藥、芙蓉等花卉。

現藏江蘇省江陰市博物館。

剔犀執鏡盒

南宋

江蘇常州市武進區村前鄉南宋墓出土。

高3.4、直徑15.4、長27.3厘米。

木胎。通體剔刻雲紋圖案。髹褐漆爲地，黑漆面，朱、黃、黑三色漆更迭，漆層四十餘道。盒內髹黃漆。

現藏江蘇省常州博物館。